# Sacrul şi profanul

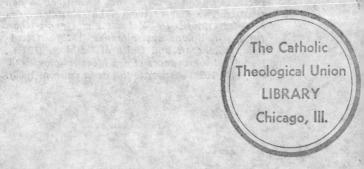

MIRCEA ELIADE (București, 28 febr. 1907 — Chicago, 22 aprilie 1986) a făcut studii de filozofie la București, încheiate cu o teză despre filozofia Renașterii (1928), și la Calcutta (India, dec. 1928 — dec. 1931), în urma cărora își susține doctoratul în filozofie cu o lucrare asupra gîndirii și practicilor *yoga* (1933). Între 1933 și 1940, simultan cu o intensă activitate beletristică și publicistică, ține cursuri de filozofie și de istoria religiilor la Universitatea din București. În timpul războiului, este atașat cultural al ambasadei României de la Londra (1940—1941) și al legației române de la Lisabona (1941—1945).

Din 1945 se stabilește la Paris, unde predă istoria religiilor, întîi la École Pratique des Hautes Études (pînă în 1948), apoi la Sorbona. Solicitat în S.U.A., după un an de cursuri ținute ca *Visiting Professor* pentru „Haskell Lectures" (1956—1957), acceptă postul de profesor titular și de coordonator al Catedrei de istoria religiilor (din 1985 „Catedra Mircea Eliade") a Universității din Chicago.

*Cronologia operei neliterare* (prima ediție a volumelor)

*Solilocvii* (1932) ; *Oceanografie* (1934) ; *Alchimia asiatică (1935) ; Yoga. Essai sur les origines de la mystique indienne* (1936) ; *Cosmologie și alchimie babiloniană* (1937) ; *Fragmentarium* (1938) ; *Mitul reintegrării* (1942) ; *Salazar și revoluția în Portugalia* (1942) ; *Insula lui Euthanasius* (1943) ; *Comentarii la Legenda Meșterului Manole* (1943) ; *Os Romenos, Latinos do Oriente* (1943).

*Techniques du Yoga* (1948) ; *Traité d'histoire des religions* (1949) ; *Le Mythe de l'Éternel Retour* (1949) ; *Le Chamanisme et les techniques archaïques de l'extase* (1951) ; *Images et symboles (1952) ; Le Yoga. Immortalité et liberté* (1954) ; *Forgerons et alchimistes* (1956) ; *Das Heilige und das Profane* (1957) ; *Le Sacré et le Profane* (1965) ; *Mythes, rêves et mystères* (1957) ; *Birth and Rebirth* (1958) ; *Naissances mystiques* (1959) ; *Méphistophélès et l'Androgyne* (1962) ; *Patanjali et le Yoga* (1962) ; *Aspects du mythe* (1963) ; *From Primitives to Zen* (1967) ; *The Quest* (1969) ; *La Nostalgie des origines* (1970) ; *De Zalmoxis à Gengis-Khan* (1970) ; *Religions australiennes* (1973) ; *Occultism, Witchcraft and Cultural Fashions* (1976) ; *Histoire des croyances et des idées religieuses* (3 vol., 1976-1983) ; *Briser le toit de la maison* (1986).

# MIRCEA ELIADE

# Sacrul și profanul

Traducere din limba franceză de
RODICA CHIRA

**HUMANITAS**
BUCUREȘTI, 1992

Coperta :
ANDREI ALEXANDRU

Lucrarea a apărut, în ediția originară, sub titlul :
*Das Heilige und das Profane* în Rowohlts Deutsche
Enzyklopädie, condusă de Ernesto Grassi.

Versiunea românească a fost tradusă după
*Le Sacré et le Profane*, Gallimard, 1965.

© 1957 by Rowohlt Taschenbuch Verlag Gmbh,
Reinbek bei Hamburg.

© 1991, Editura Humanitas, pentru ediția română.


ISBN 973-28-0272-3

*Această lucrare a fost scrisă în 1956, la îndemnul profesorului Ernesto Grassi, pentru o colecție de cărți de buzunar pe care tocmai o inaugurase la Editura Rowohlt :* Rowohlts Deutsche Enzyklopädie. *A fost, deci, concepută și redactată pentru marele public, ca o introducere generală în studiul fenomenologic și istoric al faptelor religioase.*

*Exemplul fericit al lui Georges Dumézil ne-a convins să acceptăm propunerea. Savantul francez reunise, în 1949, sub titlul :* L'Héritage indo-européen à Rome (Gallimard), *rezultatul cercetărilor sale asupra ideologiei tripartite indo-europene și asupra mitologiei romane, punînd la dispoziția cititorului, sub formă de rezumate și lungi citate, esențialul din cele șapte volume pe care le publicase în ultimii opt ani.*

*Succesul lui Dumézil ne-a încurajat să încercăm să facem ceva asemănător. Nu era vorba, desigur, de a prezenta rezumatul unor lucrări anterioare ale noastre, dar ne-am luat libertatea de a reproduce aici unele pagini și mai ales de a utiliza exemple citate și discutate în alte lucrări. Ne-ar fi fost uşor să aducem exemple noi în legătură cu fiecare subiect tratat (Spaţiu sacru, Timp sacru etc.). Uneori am făcut-o, dar, în general, am preferat să alegem documente deja folosite şi să dăm cititorului posibilitatea de a apela la o documentaţie mai amplă şi, în acelaşi timp, mai riguroasă şi mai nuanţată.*

*Un asemenea demers are şi avantajele, dar şi riscurile lui, de care reacţiile provocate de ediţiile străine ale acestei cărţi de mici dimensiuni ne-au convins cu prisosinţă. Unii cititori au acceptat intenţia autorului de a-i introduce într-un domeniu imens, fără a-i copleşi cu o documentaţie excesivă sau cu analize prea tehnice. Alţii au apreciat mai puţin acest efort de simplificare : ar fi preferat o documentaţie mai abundentă, o exegeză mai minuţioasă. Aceştia din urmă aveau dreptate, dar neglijau ambiţia noastră de a scrie o carte scurtă, clară şi simplă, care să-i poată interesa pe cititorii mai puţin familiarizaţi cu problemele fenomenologiei şi istoriei religiilor. Tocmai pentru a preveni asemenea critici am indicat, în josul paginii, lucrările în care diferitele probleme sînt discutate pe larg.*

*E adevărat — şi am înţeles mai bine acest lucru recitind textul după opt ani — că un asemenea demers poate da loc la neînţelegeri. A încerca să prezinţi, în două sute de pagini, cu înţelegere şi simpatie, comportamentul lui* homo religiosus, *în primul rînd condiţia omului din societăţile tradiţionale şi orientale, nu este un lucru lipsit de pericole. Această deschidere riscă să fie considerată expresia unei nostalgii secrete pentru condiția revolută a lui* homo religiosus *arhaic, care îi era străină autorului. Intenția noastră era aceea de a-l ajuta pe cititor să perceapă nu numai semnificația profundă a unei existențe religioase de tip arhaic și tradițional, ci și să-i recunoască validitatea ca hotărîre umană, să-i aprecieze frumusețea, „noblețea".*

*Nu era vorba doar de a arăta că un australian sau un african nu erau bietele animale pe jumătate sălbatice (incapabile să numere pînă la 5 etc.) cu care ne întreținea folclorul antropologic cu mai puțin de un secol în urmă. Noi intenționam să arătăm ceva mai mult : logica și măreția concepțiilor lor despre lume, adică a comportamentelor, simbolismelor și sistemelor lor religioase. Atunci cînd intră în joc înțelegerea unui comportament straniu sau a unui sistem de valori exotice, demistificarea lor nu servește la nimic. Este inutil să declari, în legătură cu credința atîtor „primitivi", că satul și casa lor nu se găsesc în Centrul Lumii. Numai în măsura în care acceptăm această credință sau înțelegem simbolismul Centrului Lumii și rolul lui în viața unei societăți arhaice vom reuși să pătrundem dimensiunile unei existențe ce se constituie ca atare tocmai prin faptul că se consideră situată în Centrul Lumii.*

*Fără îndoială că, pentru a pune mai bine în lumină categoriile specifice ale unei existențe religioase de tip arhaic și tradițional (pentru că presupunem, din partea cititorului, o anumită familiarizare cu iudeo-creștinismul și islamul,* cu hinduismul și budismul), n-am insistat asupra anumitor aspecte aberante și crude, cum ar fi canibalismul, vînătoarea de capete, sacrificiile umane, excesele orgiastice, pe care le-am analizat, de altfel, în alte lucrări. N-am vorbit nici despre procesul de degradare și degenerescență de care nici un fenomen religios nu a reușit vreodată să se păzească. În sfîrșit, opunînd „sacrul" „profanului", am înțeles să subliniem mai ales sărăcirea adusă de secularizarea unui comportament religios ; dacă n-am vorbit despre ceea ce a cîștigat omul prin desacralizarea Lumii, este pentru că acest lucru ni se părea mai mult sau mai puțin cunoscut de către cititori.

La o problemă nu ne-am referit decît în mod aluziv : în ce măsură „profanul" poate deveni, prin el însuși, „sacru" ; în ce măsură o existență radical secularizată, fără Dumnezeu sau zei, este susceptibilă să constituie punctul de plecare al unui nou tip de „religie" ? Problema depășește competența istoricului religiilor, cu atît mai mult cu cît procesul este încă în stadiul inițial. Dar se cuvine să precizăm de la început că acest proces este susceptibil să se desfășoare pe planuri multiple și urmărind obiective diferite. Există, înainte de toate, consecințele virtuale a ceea ce s-ar putea numi teologiile contemporane ale „morții lui Dumnezeu" care, după ce au demonstrat cu lux de amănunte inutilitatea tuturor conceptelor, simbolurilor și ritualurilor bisericilor creștine,

par să spere că o conştientizare a caracterului
radical profan al Lumii şi al existenţei umane
este totuşi capabilă să fondeze, datorită unei
misterioase şi paradoxale coincidentia opposi-
torum, un nou tip de „experienţă religioasă".

Există apoi dezvoltările posibile pornind
de la concepţia conform căreia religiozitatea
constituie o structură ultimă a conştiinţei ; că ea
nu depinde de opoziţiile nenumărate şi
efemere (din moment ce sînt istorice)
dintre „sacru" şi „profan", aşa cum le întîl-
nim în cursul istoriei. Cu alte cuvinte, dispari-
ţia „religiilor" nu implică dispariţia „religiozi-
tăţii" ; secularizarea unei valori religioase
constituie doar un fenomen religios ce ilustrează,
în cele din urmă, legea transformării universale
a valorilor umane ; caracterul „profan" al unui
comportament ce era înainte „sacru" nu pre-
supune o soluţie de continuitate : „profanul"
nu este decît o nouă manifestare a aceleiaşi
structuri constitutive a omului care, înainte, se
manifesta prin expresii „sacre".

Există, în sfîrşit, o a treia posibilitate de
dezvoltare : a respinge în opoziţia sacru-profan
o caracteristică a religiilor, precizînd totodată că
nici creştinismul nu este o „religie" ; că, prin
urmare, creştinismul nu are nevoie de o aseme-
nea dihotomie a realului ; că omul creştin nu
mai trăieşte într-un Cosmos, ci în Istorie.

Cîteva din ideile pe care le-am amintit
au fost deja formulate, mai mult sau mai puţin
sistematic ; altele se lasă ghicite în diferite luări
de poziţie recente ale teologiilor militante. Se
înţelege de ce nu ne simţim obligaţi să le dis-

cutăm : ele nu indică decît tendinţe şi orientări
în stare născîndă, ale căror şanse de supravie-
ţuire şi dezvoltare nu le cunoaştem.

   Iubitul şi învăţatul nostru prieten, doc-
torul Jean Gouillard, a binevoit, încă o dată,
să-şi asume revizuirea textului francez ; îl ru-
găm să primească aici expresia sincerei noastre
recunoştinţe.

Universitatea din Chicago
Octombrie 1964

Răsunetul mondial al cărții lui Rudolf Otto, *Das Heilige* (1917), dăinuie în memoria tuturor. Succesul ei se datora, fără îndoială, noutății și originalității perspectivei. În loc să studieze *ideile* de Dumnezeu și de religie, Rudolf Otto analiza modalitățile *experienței religioase*. Dotat cu o mare finețe psihologică și avînd o dublă pregătire, de teolog și istoric al religiilor, el reușise să degaje conținutul și caracterele specifice ale acesteia. Neglijînd latura rațională și speculativă a religiei, el punea cu vigoare în lumină latura irațională. Otto îl citise pe Luther și înțelesese ce vrea să însemne, pentru un credincios, „Dumnezeul viu". Nu era Dumnezeul filozofilor, Dumnezeul unui Erasm ; nu era o idee, o noțiune abstractă, o simplă alegorie morală. Era o *putere* teribilă, manifestată în „mînia" divină.

În cartea sa, Rudolf Otto se străduiește să identifice trăsăturile acestei experiențe înspăimîntătoare și iraționale. El descoperă *sentimentul spaimei* în fața sacrului, în fața acestui *mysterium tremendum*, a acestei *majestas* care degajă o zdrobitoare superioritate a forței ; el descoperă *teama religioasă* în fața unui *mysterium fascinans*, în care înflorește perfecta plenitudine a ființei. Otto desemnează toate aceste experiențe drept *numinoase* (din latinescul *numen*, „zeu"), deoarece sînt provocate de relația unui aspect al puterii divine. *Numinosul* se singularizează ca un fel de *ganz andere*, ceva radical și total diferit : el nu seamănă cu nimic omenesc sau cosmic ; în fața lui, omul are sentimentul propriei nulități, acela de „a nu fi decît o făptură" și, ca să împrumutăm cuvintele lui Avraam adresîndu-se Domnului, doar „pulbere și cenușă" *(Geneza*, XVIII , 27) .

Sacrul se manifestă întotdeauna ca o realitate de un cu totul alt ordin decît realitățile „naturale". Limbajul poate exprima în mod simplist noțiunile de *tremendum*, *majestas* sau *mysterium fascinans* prin termeni împrumutați din domeniul natural sau din viața spirituală profană a omului. Această terminologie analogică se datorește însă tocmai incapacității umane de a exprima acel *ganz andere* : limbajul este constrîns să sugereze, doar, tot ceea ce depășește experiența naturală a omului, prin termeni împrumutați chiar din aceasta din urmă.

După patruzeci de ani, analizele lui Rudolf Otto își păstrează încă valoarea ; cititorul va avea doar de profitat citindu-le și meditînd asupra lor. În paginile care urmează, noi ne situăm, însă, într-o altă perspectivă. Am dori să prezentăm fenomenul sacrului în întreaga lui complexitate, nu numai în ceea ce comportă el ca *irațional*. Nu raportul dintre elementele nonrațional și rațional ale religiei ne interesează,

ci *sacrul în totalitatea lui*. Or, prima definiție ce
se poate da sacrului este *aceea că se opune pro-
fanului*. Paginile care urmează au drept scop
ilustrarea și precizarea acestei opoziții dintre sa-
cru și profan.

## Cînd sacrul se manifestă

Omul ia cunoștință de sacru pentru că
acesta *se manifestă*, se prezintă ca fiind ceva
cu totul diferit de profan. Pentru a reda mani-
festarea sacrului, am propus termenul de *hie-
rofanie*, care este comod, cu atît mai mult cu cît
nu implică nici o precizare suplimentară : el
nu exprimă decît ceea ce este implicat în conți-
nutul lui etimologic, anume faptul că *ceva sa-
cru ni se arată*. S-ar putea spune că istoria re-
ligiilor, de la cele mai primitive pînă la cele mai
elaborate, este constituită din acumularea de
hierofanii, din manifestările realităților sacre.
Între cea mai elementară hierofanie, de exemplu
manifestarea sacrului într-un obiect oarecare,
o piatră sau un copac, și hierofania supremă
care este, pentru creștini, întruparea lui Dum-
nezeu în Iisus Hristos, nu există deloc soluție de
continuitate. Este, mereu, același act misterios :
manifestarea a ceva „total diferit", a unei re-
alități ce nu aparține lumii noastre, în obiecte
care fac parte integrantă din lumea noastră,
„naturală", „profană".
    Occidentalul modern simte o oarecare
stinghereală în fața anumitor forme de mani-
festare a sacrului : îi este greu să accepte că,

pentru anumite fiinţe umane, sacrul poate să se manifeste în pietre sau în arbori. Or, cum vom vedea în curînd, nu este vorba de venerarea pietrei sau a arborelui în sine. Piatra sacră, arborele sacru nu sînt adoraţi ca atare, ci pentru că sînt *hierofanii*, pentru că ,,arată'' ceva ce nu mai este nici piatră, nici arbore, ci *sacrul*, *ganz andere*.

Niciodată nu se va insista îndeajuns asupra paradoxului oricărei hierofanii, începînd cu cele elementare. Manifestînd sacrul, un obiect oarecare devine *altceva*, fără a înceta să fie *el însuşi*, deoarece continuă să participe la mediul cosmic înconjurător. O piatră *sacră* rămîne *o piatră* ; în aparenţă (mai exact, din punctul de vedere profan), nimic nu o distinge de toate celelalte pietre. Pentru cei cărora o piatră li se revelează ca fiind sacră, realitatea ei imediată se preschimbă, dimpotrivă, în realitate supranaturală. Cu alte cuvinte, pentru cei care cunosc o experienţă religioasă, Natura întreagă este susceptibilă să se dezvăluie ca sacralitate cosmică, Cosmosul în totalitate poate să devină o hierofanie.

Omul societăţilor arhaice are tendinţa de a trăi cît mai mult posibil *în* sacru sau în intimitatea obiectelor consacrate. Această tendinţă este de înţeles : pentru ,,primitivi'', ca şi pentru omul tuturor societăţilor premoderne, *sacrul* echivalează cu *puterea* şi, în definitiv, cu *realitatea* prin excelenţă. Sacrul este saturat de fiinţă. Putere sacră înseamnă, în acelaşi timp, realitate, perenitate şi eficacitate. Opo-

ziția sacru-profan se traduce adesea printr-o
opoziție între *real* și *ireal* sau pseudoreal. Să fim
înțeleși : nu trebuie să ne așteptăm să găsim
în limbile arhaice această terminologie a filo-
zofilor, *real-ireal* etc. , dar *lucrul* există. Este
deci firesc ca omul religios să dorească profund
*să fiinţeze*, să participe la *realitate*, să se satu-
reze de putere.

  Cum se străduiește omul religios să se
mențină cît mai mult cu putință într-un univers
sacru ; cum se prezintă, în cazul lui, experiența
totală a vieții în comparație cu experiența omu-
lui lipsit de sentimente religioase, a omului care
trăiește - sau dorește să trăiască - într-o lume
desacralizată : aceasta este tema ce va domina
paginile care urmează. Să spunem de la început
că lumea profană *în totalitate*, Cosmosul în în-
tregime desacralizat este o descoperire recentă
a spiritului uman. Nu considerăm necesar  să
arătăm prin ce procese istorice și în urma căror
modificări ale comportamentului spiritual și-a
desacralizat omul modern lumea și și-a asumat
o experiență profană. Este suficient să consta-
tăm aici că desacralizarea caracterizează expe-
riența totală a omului nereligios din societățile
moderne ; că, prin urmare, acestuia din urmă îi
este tot mai greu să regăsească dimensiunile
existențiale ale omului religios din societățile
arhaice.

## Două moduri de a fi în lume

Prăpastia care separă cele două modalități de experiență, cea sacră și cea profană, va putea fi apreciată citind cele expuse cu privire la spațiul sacru și construirea rituală a locuinței omenești, la diversitatea experienței religioase a Timpului, la raporturile omului religios cu Natura și lumea uneltelor, la consacrarea vieții însăși a omului și la sacralitatea cu care pot fi încărcate funcțiile sale vitale (hrană, sexualitate, muncă etc.). Va fi suficient să ne amintim ce au devenit pentru omul modern, areligios, cetatea sau casa, natura, uneltele sau munca, pentru a putea surprinde pe viu ceea ce-l distinge de un om ce aparține societăților arhaice sau chiar de un țăran din Europa creștină. Pentru conștiința modernă, un act fiziolog : alimentația, sexualitatea etc., nu este decît un proces organic, oricare ar fi numărul tabuurilor care i se impun încă (reguli de bună-cuviință la masă ; limite impuse comportamentului sexual de „bunele moravuri"). Pentru „primitiv", însă, un asemenea act nu este niciodată numai fiziologic ; el este, sau poate deveni, „un sacrament", o comuniune cu sacrul.

Cititorul își va da curînd seama că *sacrul* și *profanul* constituie două modalități de a fi în lume, două situații existențiale asumate de către om de-a lungul istoriei. Aceste moduri de a fi în Lume nu interesează doar istoria reli-

giilor sau sociologia, ele nu constituie doar obiect
de studiu istoric, sociologic, etnologic. În ultimă
instanţă, modurile de a fi *sacru* şi *profan* depind
de diferitele poziţii pe care le-a cucerit omul în
Cosmos ; ele îl interesează atît pe filozof, cît şi
pe oricare alt cercetător dornic să cunoască di-
mensiunile posibile ale existenţei umane.

Iată de ce, cu toate că este istoric al re-
ligiilor, autorul acestei cărţi îşi propune să nu
scrie numai din perspectiva disciplinei sale.
Omul societăţilor tradiţionale este, bineînţeles,
un *homo religiosus,* dar comportamentul lui se
înscrie în comportamentul general al omului şi,
prin urmare, interesează antropologia filozofică,
fenomenologia, psihologia.

Pentru a scoate mai bine în evidenţă no-
tele specifice ale existenţei într-o lume suscep-
tibilă de a deveni sacră, nu vom ezita să cităm
exemple alese dintr-un mare număr de religii,
aparţinînd unor epoci şi culturi diferite. Nimic
nu este mai valoros decît exemplul, faptul con-
cret. Zadarnic am perora despre structura spa-
ţiului sacru fără să arătăm, cu ilustrări precise,
cum se construieşte un asemenea spaţiu şi de
ce devine el calitativ diferit de spaţiul profan
care îl înconjoară. Ne vom lua exemplele de la
mesopotamieni, indieni, chinezi, kwakiutl şi
alte populaţii „primitive" . Din perspectiva is-
torico-culturală, o asemenea juxtapunere de
fapte religioase, spicuite de la popoare atît de
depărtate în timp şi spaţiu, nu este lipsită de
pericol, pentru că există întotdeauna riscul de

a recădea în greşelile secolului al XIX-lea şi îndeosebi de a crede, precum Tylor sau Frazer, într-o reacţie uniformă a spiritului uman în faţa fenomenelor naturale. Or, progresele etnologiei culturale şi ale istoriei religiilor au arătat că nu se întîmplă întotdeauna aşa, că ,,reacţiile omului în faţa Naturii" sînt, nu o dată, condiţionate de cultură, deci de Istorie.

Mai important, însă, pentru intenţia noastră este să scoatem în evidenţă notele specifice ale experienţei religioase decît să arătăm multiplele ei transformări şi deosebirile prilejuite de Istorie. Este, într-un fel, ca şi cum, pentru a surprinde mai bine fenomenul poetic, s-ar face apel la exemplele cele mai diverse, citînd, alături de Homer, Virgiliu sau Dante, poeme hinduse, chineze sau mexicane ; dacă, invocînd poetici istoric solidare (Homer, Virgiliu, Dante) şi creaţii care ţin de alte estetici. În limitele istoriei literare, asemenea juxtapuneri nu sînt demne de încredere, dar ele sînt valabile dacă se are în vedere descrierea fenomenului poetic ca atare, dacă ne propunem să arătăm deosebirea esenţială dintre limbajul poetic şi limbajul utilitar, cotidian.

### Sacrul şi Istoria

Intenţia noastră de căpătîi este să prezentăm dimensiunile specifice ale experienţei religioase, să scoatem în evidenţă ceea ce o deosebeşte de experienţa profană a Lumii. Nu vom insista asupra nenumăratelor condiţionări pe care experienţa religioasă a Lumii le-a suportat de-a lungul vremurilor. Astfel, este evident că simbolismele şi cultele Pămîntului-Mamă, ale fecundităţii umane şi agrare, ale sacralităţii Femeii etc. n-au putut să se dezvolte şi să constituie un sistem religios bogat articulat decît prin descoperirea agriculturii ; este de asemenea evident că o societate preagricolă, specializată în vînătoare, nu putea să resimtă în acelaşi fel, nici cu aceeaşi intensitate sacralitatea Pămîntului-Mamă. O experienţă diferită rezultă din diferenţele de economie, cultură şi organizare socială ; într-un cuvînt, de Istorie. Totuşi, între vînătorii nomazi şi agricultorii sedentari se menţine o similitudine de comportament, care ni se pare mult mai importantă decît diferenţele : *şi unii şi ceilalţi trăiesc într-un Cosmos sacralizat*, participă la o sacralitate cosmică, manifestată atît în lumea animală, cît şi în lumea vegetală. Nu avem decît să comparăm situaţiile lor existenţiale cu aceea a unui om din societăţile moderne, *trăind într-un Cosmos desacralizat*, pentru a ne da de îndată seama de tot ceea ce-i desparte. Tot astfel, vom înţelege temeinicia comparaţiilor între fapte religioase aparţinînd unor culturi diferite : toate aceste fapte ţin de acelaşi comportament, care este cel al lui *homo religiosus*.

Această carte poate, deci, să servească drept introducere generală în istoria religiilor, din moment ce descrie modalităţile sacrului şi condiţia omului într-o lume încărcată de valori religioase. Ea nu constituie însă o istorie a religii-

lor în sensul strict al cuvîntului, pentru că auto-
rul nu și-a dat silința să indice, în legătură cu
exemplele citate, contextele lor istorico-cultu-
rale. Dacă ar fi vrut să o facă, i-ar fi trebuit
mai multe volume. Cititorul va găsi toate infor-
mațiile necesare în lucrările menționate în bi-
bliografie.

*Saint-Cloud, aprilie 1956.*

# SPAȚIUL SACRU
# ȘI SACRALIZAREA LUMII

## Omogenitate spațială și hierofanie

Pentru omul religios, *spațiul nu este omogen* ; el prezintă rupturi, falii : există porțiuni de spațiu calitativ diferite de celelalte. „Nu te apropia pînă aici ! îi spune Domnul lui Moise. Descalță-te de sandalele tale, fiindcă locul pe care stai tu, în fața mea, este pămînt sfînt ! “ (Exodul, III, 5) . Există deci un spațiu sacru, prin urmare „puternic“ , semnificativ, și există alte spații, neconsacrate, prin urmare, lipsite de structură, de consistență, într-un cuvînt, amorfe. Ba mai mult : pentru omul religios, această lipsă de omogenitate spațială se traduce prin experiența unei opoziții între spațiul sacru, singurul care ar fi *real*, care *există cu adevărat*, și tot restul, întinderea informă care îl înconjoară.

Să spunem de la început că experiența religioasă a neomogenității spațiului constituie o experiență primordială, omologabilă unei „fondări a Lumii“ . Nu e vorba de o speculație teoretică, ci de o experiență religioasă primară, anterioară oricărei meditații asupra Lumii. Ruptura operată în spațiu este aceea care permite constituirea lumii, pentru că ea este aceea care dezvăluie „punctul fix", axa centrală a oricărei orientări viitoare. Atunci cînd sacrul se manifestă printr-o hierofanie oarecare, nu există numai o ruptură în omogenitatea spațiului, ci și revelarea unei realități absolute, care se opune nerealității imensei întinderi înconjurătoare. Manifestarea sacrului fondează, ontologic, Lumea. În întinderea omogenă și nesfîrșită, în care nici un punct de reper nu este posibil, în care nici o *orientare* nu se poate efectua, hierofania dezvăluie un „punct fix" absolut, un „Centru".

Vedem, deci, în ce măsură descoperirea, adică revelația spațiului sacru are pentru omul religios o valoare existențială : nimic nu poate începe, nimic nu se poate *face* fără o orientare prealabilă ; or, orice orientare implică dobîndirea unui punct fix. Din acest motiv, omul religios s-a străduit să se plaseze în „Centrul Lumii". *Pentru a trăi în Lume,* aceasta trebuie *fondată,* or nici o lume nu se poate naște în „haosul" omogenității și al relativității spațiului profan. Descoperirea sau proiectarea unui punct fix — „Centrul" — echivalează cu Crearea Lumii ; cîteva exemple vor semnala, cît se poate de clar, valoarea cosmogonică a orientării rituale și a construirii spațiului sacru.

Pentru experiența profană, spațiul este, dimpotrivă, omogen și neutru : nici o ruptură nu diferențiază calitativ părțile masei lui. Spațiul geometric poate fi debitat și delimitat în orice direcţie, dar nici o diferenţiere calitativă, nici o orientare nu sînt date de propria-i structură. Evident, nu trebuie să confundăm *conceptul* de spaţiu geometric, omgoen şi neutru, cu *experienţa* spaţiului „profan", care se opune experienţei spaţiului sacru — singura ce ne interesează aici. *Conceptul* de spaţiu omogen şi istoria acestui concept (căci el a fost dobîndit pentru gîndirea filozofică şi ştiinţifică încă din antichitate) constituie o cu totul altă problemă, pe care nu o vom aborda. Ceea ce interesează cercetarea noastră este *experienţa* spaţiului, aşa cum este ea trăită de omul nereligios, de un om care refuză sacralitatea Lumii, care îşi asumă doar o existenţă „profană", purificată de orice supoziţie religioasă.

Să adăugăm că o asemenea existenţă profană nu se întîlneşte niciodată în stare pură. La orice grad de desacralizare a Lumii ar fi ajuns, omul care a optat pentru o viaţă profană nu reuşeşte să abolească total comportamentul religios. Cum se va vedea, pînă şi existenţa cea mai desacralizată păstrează încă urmele unei valorizări religioase a Lumii.

Să lăsăm la o parte, pentru moment, acest aspect al problemei şi să ne limităm la a compara cele două experienţe puse în discuţie : aceea a spaţiului sacru şi aceea a spaţiului profan. Ne amintim de implicaţiile celei dintîi : revelaţia unui spaţiu sacru permite obţinerea unui „punct fix", orientarea în omogenitatea haotică, „fondarea Lumii", viaţa *adevărată*. Dimpotrivă, experienţa profană menţine omogenitatea şi, prin

urmare, relativitatea spaţiului. Orice orientare
*adevărată* dispare, pentru că „punctul fix" nu
se mai bucură de un statut ontologic unic : el
apare și dispare în funcţie de necesităţile cotidi-
ene. La drept vorbind, nu mai există o „lume",
ci doar fragmente ale unui univers sfărîmat,
masă amorfă a unei infinităţi de „locuri", mai
mult sau mai puţin neutre, prin care omul se
mișcă, mînat de obligaţiile oricărei existenţe in-
tegrate într-o societate industrială.

    Cu toate acestea, în experienţa spaţiului
profan continuă să intervină valori care amin-
tesc, mai mult sau mai puţin, de neomogenitatea
ce caracterizează experienţa religioasă a spa-
ţiului. Locurile privilegiate, calitativ diferite de
celelalte, încă mai dăinuie : peisajul natal, pri-
veliștile primelor iubiri, o stradă ori un colţ din
primul oraș străin vizitat în tinereţe. Toate
aceste locuri păstrează, chiar pentru omul cel
mai nereligios, o calitate excepţională, „unică" :
sînt „locurile sfinte" ale Universului său privat,
ca și cum această fiinţă nereligioasă ar fi avut
revelaţia unei *alte* realităţi decît aceea la care
participă prin existenţa sa cotidiană.

    Să reţinem acest exemplu de compor-
tament „criptoreligios" al omului profan. Vom
avea ocazia să întîlnim și alte ilustrări ale aces-
tei degradări și desacralizări a valorilor și com-
portamentelor religioase. Ne vom putea da
seama mai tîrziu de semnificaţia lor profundă.

### Teofanie și semne

Pentru a scoate în evidență neomogeni-
tatea spațiului, așa cum este ea trăită de omul
religios, se poate apela la un exemplu banal : o
biserică într-un oraș modern. Pentru credin-
cios, această biserică ține de un alt spațiu decît
strada pe care se găsește. Ușa care se deschide
spre interiorul bisericii marchează o soluție de
continuitate. Pragul care desparte cele  două
spații indică, în același timp, distanța dintre cele
două moduri de a fi, cel profan și cel religios.
Pragul este, în același timp, hotarul, granița
care distinge și opune două lumi și locul para-
doxal în care aceste lumi comunică, în care se
poate înfăptui trecerea din lumea profană în cea
sacră.

O funcție rituală analoagă este rezervată
pragului locuințelor umane - și tocmai de aceea
se bucură el de o atît de mare considerație. Nu-
meroase rituri însoțesc trecerea pragului domes-
tic : i se fac reverențe sau plecăciuni adînci, este
atins pios cu mîna etc. Pragul  are „paznicii"
lui : zei și spirite care apără intrarea, atît de
răutatea oamenilor, cît și te puterile demonice
și pestilențiale. Pe prag se aduc ofrande divini-
tăților păzitoare. Tot acolo, anumite culturi pa-
leoorientale (Babilon, Egipt, Israel) situau jude-
cata. Pragul, ușa indică, nemijlocit și concret,
soluția de continuitate a spațiului ; de aici, ma-
rea lor importanță religioasă, deoarece sînt sim-
boluri și, totodată, vehiculele *trecerii*.

Se înțelege, în consecință, de ce ține bi-
serica de un spațiu cu totul diferit de aglome-

rările umane care o înconjoară. În interiorul incintei sacre, lumea profană este transcendentă. La nivelele mai arhaice de cultură, această posibilitate de transcendenţă se exprimă prin diferitele *imagini ale unei deschideri* : acolo, în incinta sacră, comunicarea cu zeii devine posibilă ; prin urmare, trebuie să existe o „uşă" spre înalt, prin care zeii să poată coborî pe Pămînt şi omul să poată urca, simbolic, spre Cer. Vom vedea îndată că aşa s-a şi întîmplat în numeroase religii : templul constituie, la drept vorbind, o „deschidere" spre înalt şi asigură comunicarea cu lumea zeilor.

Orice spaţiu sacru implică o hierofanie, o irupere a sacrului care are drept efect desprinderea unui teritoriu din mediul cosmic înconjurător, pentru a-l face să difere calitativ. Atunci cînd, la Haran, Iacob a văzut în vis scara ce atingea cerul şi pe care se pogorau şi se suiau îngerii şi l-a auzit pe Domnul, deasupra ei, spunînd : „Eu sînt Domnul, Dumnezeul lui Avraam, părintele tău" s-a trezit cuprins de spaimă şi a strigat : „Cît este de înfricoşat locul acesta ! Aici este cu adevărat casa lui Dumnezeu şi aici este Poarta Cerului ! " A luat atunci piatra pe care o pusese căpătîi, a pus-o ca stîlp de pomenire şi a vărsat untdelemn în vîrful ei. A numit acest loc Betel, adică „Casa lui Dumnezeu" (*Geneza*, XXVIII, 12—19). Simbolismul conţinut în expresia „Poarta Cerului" este bogat şi complex : teofania consacră un loc prin însuşi faptul că îl „deschide" către înalt, adică îl face să comunice cu Cerul, punct paradoxal de trecere de la un mod de a fi la altul. Nu vor lipsi exemple încă şi mai precise : sanctuare care sînt „Porţi ale Zeilor", locuri de trecere între Cer şi Pămînt.

Adesea nu este nevoie nici măcar de o teofanie sau o hierofanie propriu-zisă : un *semn* oarecare ajunge pentru a indica sacralitatea locului. „Potrivit legendei, ascetul musulman care a fundat El-Hemel, la sfîrşitul secolului al XVI-lea, s-a oprit pentru a petrece noaptea aproape de izvor şi a înfipt un toiag în pămînt. A doua zi, vrînd să-l ia din nou pentru a-şi continua drumul, a observat că prinsese rădăcini şi-i crescuseră muguri. A văzut în asta semnul voinţei lui Dumnezeu şi şi-a fixat locuinţa în acel loc. "[1] Aceasta înseamnă că *semnul* purtător de semnificaţie religioasă introduce un element absolut şi pune capăt relativităţii şi confuziei. *Ceva* ce nu aparţine acestei lumi s-a manifestat apodictic şi, astfel, a indicat o orientare sau a hotărît asupra unei conduite.

Cînd nu se manifestă nici un semn în împrejurimi, el este *provocat*. Se practică, de exemplu, un fel de *evocatio* cu ajutorul animalelor : ele sînt cele care *arată* ce loc este susceptibil să primească sanctuarul sau satul. Este vorba, în definitiv, de o evocare a forţelor sau a figurilor sacre, avînd drept scop imediat *orientarea* în omogenitatea spaţiului. Se cere un *semn* pentru a pune capăt tensiunii provocate de relativitate şi anxietăţii alimentate de dezorientare, într-un cuvînt, pentru a găsi un *punct de sprijin* absolut. Iată un exemplu : se urmă-

---

[1] René Basset, „Revue des Traditions populaires", XXII, 1907, p. 287.

reşte un animal sălbatic şi, în locul unde este
răpus, se înalţă sanctuarul ; sau se pune în li-
bertate un animal domestic — un taur, de exem-
plu — ; după cîteva zile este căutat şi sacrificat
în locul unde a fost găsit. Se va înălţa apoi alta-
rul şi în jurul lui se va construi satul. În toate
aceste cazuri, animalele sînt cele care dezvăluie
sacralitatea locului : oamenii nu sînt, deci, li-
beri să *aleagă* tărîmul sacru ; ei nu fac decît să-l
caute şi să-l descopere cu ajutorul unor semne
misterioase.

Am putut vedea, urmărind aceste cîteva
exemple, diferitele mijloace prin care omul re-
ligios are revelaţia unui loc sacru. În fiecare din
aceste cazuri, hierofaniile au anulat omogeni-
tatea spaţiului şi au revelat un „punct fix" . Dar,
pentru că omul religios nu poate trăi decît într-o
atmosferă impregnată de sacru, trebuie să ne
aşteptăm la o multitudine de tehnici de conse-
crare a spaţiului. Am văzut că sacrul este *rea-
lul* prin excelenţă şi, în acelaşi timp, putere, efi-
cienţă, izvor al vieţii şi fecundităţii. Dorinţa
omului religios de a trăi *în sacru* echivalează,
de fapt, cu dorinţa sa de a se situa în realitatea
obiectivă, de a nu se lăsa paralizat de relativita-
tea fără sfîrşit a experienţelor pur subiective, de
a trăi într-o lume reală şi eficientă - şi nu într-o
iluzie. Acest comportament se verifică pe toate
planurile existenţei sale, dar este evident mai
ales în dorinţa omului religios de a se mişca în-
tr-o lume sanctificată, adică într-un spaţiu sa-
cru. Tocmai de aceea au fost elaborate tehnici
de *orientare*, care sînt, la drept vorbind, tehnici
de *construire* a spaţiului sacru. Nu trebuie să se

creadă, însă, că ar fi vorba de o lucrare omenească, că prin propriul său efort reușește omul să consacre un spațiu. În realitate, ritualul prin care se construiește un spațiu sacru este eficient în măsura în care reproduce lucrarea zeilor. Dar, pentru a înțelege mai bine necesitatea de a construi ritual spațiul sacru, trebuie să insistăm puțin asupra concepției tradiționale despre „Lume". Ne vom da atunci seama, cu ușurință, că orice „lume" este, pentru omul religios, o „lume sacră".

### Haos și Cosmos

Ceea ce caracterizează societățile tradiționale este opoziția pe care ele o subînțeleg între teritoriul în care locuiesc și spațiul necunoscut și nedeterminat care-l înconjoară : primul este „Lumea" (mai exact, „lumea noastră"), Cosmosul ; restul nu mai este Cosmos, ci un fel de „altă lume", un spațiu străin, haotic, populat de larve, demoni, „străini" (asimilați, de altfel, demonilor și nălucilor). La prima vedere, această frîngere a spațiului pare a se datora opoziției dintre un teritoriu locuit și organizat, deci „cosmicizat", și spațiul necunoscut ce se întinde dincolo de granițele lui : pe de o parte, un „Cosmos" și, pe de altă parte, un „Haos". Se va vedea însă că, dacă orice teritoriu locuit este un „Cosmos", aceasta se întîmplă tocmai pentru că el a fost consacrat în prealabil, pentru că, într-un fel sau altul, este opera zeilor sau comunică cu lumea lor. „Lumea" (adică

„lumea noastră") este un univers în interiorul căruia sacrul s-a manifestat deja, unde, prin urmare, ruptura de nivel devine posibilă și repetabilă.

Toate acestea reies foarte clar din ritualul vedic al luării în stăpînire a unui teritoriu : posesia devine legal valabilă prin înălțarea unui altar al focului, consacrat lui Agni. „Se spune că ești instalat atunci cînd ai construit un altar al focului (*gārhapatya*) și toți, cei care construiesc altarul focului sînt stabiliți legal" (*Satapatha Br āhmana*, VII, I, I, 1—4). Prin înălțarea unui altar al focului, Agni devine prezent, iar comunicarea cu lumea zeilor este asigurată — spațiul altarului devine un spațiu sacru. Semnificația ritualului este însă mult mai complexă și, dacă ținem seama de toate articulările lui, vom înțelege de ce consacrarea unui teritoriu corespunde cosmicizării lui. Într-adevăr, înălțarea unui altar închinat lui Agni nu este altceva decît reproducerea, la scară microscopică, a Creației. Apa în care se înmoaie argila este asimilată cu Apa primordială ; argila așezată la baza altarului simbolizează Pămîntul ; pereții laterali reprezintă Atmosfera etc. Iar construirea altarului este însoțită de strofe care proclamă explicit ce regiune cosmică a fost creată (*Satapatha Br.*, I, IX, 2, 29 etc.). Pe scurt, înălțarea unui altar al focului, singura care validează luarea în stăpînire a unui teritoriu, echivalează cu o cosmogonie.

Un teritoriu necunoscut, străin, neocupat (ceea ce adesea vrea să însemne : neocupat de „ai noștri") ține încă de modalitatea fluidă și larvară a „Haosului". Ocupîndu-l şi, mai ales, instalîndu-se în el, omul îl transformă simbolic în Cosmos, printr-o repetare rituală a cosmogoniei. Ceea ce trebuie să devină „lumea noastră" trebuie să fie în prealabil „creat". Orice creaţie are însă un model exemplar : crearea Universului de către zei. Coloniştii scandinavi, luînd în stăpînire Islanda (land-nâma) şi defrişînd-o, nu considerau fapta lor nici o operă originală, nici o muncă omenească şi profană. Pentru ei, străduiniile acestea nu erau decît repetarea unui act primordial : transformarea Haosului în Cosmos prin actul divin al Creaţiei. Lucrînd pămîntul necultivat, ei repetau pur şi simplu actul zeilor care organizaseră Haosul dîndu-i o structură, forme şi norme[2].

Fie că este vorba despre defrişarea unui teren necultivat sau despre cucerirea şi ocuparea unui teritoriu deja locuit de „alte" fiinţe umane, luarea rituală în stăpînire trebuie, oricum, să repete cosmogonia. Din perspectiva societăţilor arhaice, tot ceea ce nu este „lumea noastră" nu este încă o „lume". Nu faci „al tău" un teritoriu decît „creîndu-l" din nou — consacrîndu-l, adică. Acest comportament religios faţă de pămînturile necunoscute s-a prelungit chiar şi în Occident, pînă în zorii vremurilor moderne. „Conquistadorii" spanioli şi portughezi luau în stăpînire, în numele lui Iisus Hristos, teritorii pe care le descoperiseră şi le cuceriseră. Înălţarea Crucii consacra ţinutul, echivala, într-un fel, cu o „nouă naştere" :

[2] Mircea Eliade, Le Mythe de l'Eternel Retour (Gallimard, 1949), p. 27.

prin Hristos, „cele vechi au trecut, iată : s-au
făcut noi" (II Corinteni, V, 17.). Ţinutul proas-
păt descoperit era „reînnoit", „re-creat" de
Cruce.

### Consacrarea unui loc — repetare a cosmogoniei

Este foarte important să se înţeleagă
faptul că a cosmiciza teritorii necunoscute în-
seamnă întotdeauna a consacra : organizînd un
spaţiu, se repetă opera exemplară a zeilor. Ra-
portul intim dintre cosmicizare şi consacrare
este deja atestat la nivelele elementare de cul-
tură, de exemplu la nomazii australieni, a că-
ror economie este încă în stadiul culesului şi al
vînătorii de animale mici. Conform tradiţiilor
unui trib arunta, numit achilpa, fiinţa divină
Numbakula a „cosmicizat", în timpurile mitice,
viitorul teritoriu al tribului, l-a creat pe Stră-
moş şi a întemeiat instituţiile. Din trunchiul
unui arbore de cauciuc, Numbakula a fasonat
stîlpul sacru (*kāuwa-auwa*) şi, după ce l-a îm-
binat cu sînge, s-a căţărat pe el şi a dispărut
în Cer. Acest stîlp reprezintă o axă cosmică
deoarece, în jurul lui, teritoriul devine locuibil,
se transformă într-o „lume". De aici, rolul ri-
tual considerabil al stîlpului sacru : în peregrină-
rile lor, achilpa îl poartă tot timpul cu ei şi aleg
direcţia de urmat după înclinarea lui. Aceasta
le permite să se deplaseze continuu, fără să în-
ceteze să fie în „lumea lor" şi, în acelaşi timp,

în comunicare cu Cerul, unde a dispărut Numbakula. Dacă stîlpul se fărîmă, e catastrofă : este, într-un fel, „sfîrşitul Lumii", revenirea în Haos. Spencer şi Gillen povestesc că, potrivit unui mit, odată, cînd stîlpul sacru s-a distrus, tribul întreg a căzut pradă deznădejdii ; un timp, membrii lui au mai hoinărit, dar, în cele din urmă, s-au aşezat la pămînt şi s-au lăsat să moară[3].

Acest exemplu ilustrează admirabil funcţia cosmologică a stîlpului ritual şi, în acelaşi timp, rolul lui soteriologic : pe de o parte, *kāuwa-auwa* reproduce stîlpul folosit de Numbakula pentru a cosmiciza lumea, iar, pe de altă parte, mulţumită stîlpului, triburile achilpa consideră că pot să comunice cu domeniul celest. Or, existenţa umană nu este posibilă decît datorită acestei comunicări permanente cu Cerul. „Lumea" celor din tribul achilpa nu devine cu adevărat lumea *lor* decît în măsura în care reproduce Cosmosul organizat şi sanctificat de către Numbakula. Nu se poate trăi fără o „deschidere" spre transcendent ; cu alte cuvinte, nu se poate trăi în „Haos". Contactul cu transcendentul odată pierdut, existenţa în lume nu mai este posibilă, iar achilpa se lasă să moară.

Instalarea pe un teritoriu înseamnă, în ultimă instanţă, consacrarea lui. Atunci cînd instalarea nu mai este provizorie, ca la nomazi, ci permanentă, ca la sedentari, ea implică o hotărîre vitală ce angajează existenţa întregii

---

[3] B. Spencer şi F. J. Gillen, *The Arunta* (Londra, 1926), I, p. 388.

comunități. „Așezarea" într-un loc, organizarea și locuirea lui sînt tot atîtea acțiuni care presupun o alegere existențială : alegerea universului pe care sîntem gata să ni-l asumăm, „creîndu-l". Or, acest „Univers" este mereu replica Universului exemplar, creat și locuit de zei : el ține deci de sanctitatea lucrării zeilor.

Stîlpul sacru al celor din tribul achilpa „susține" lumea *lor* și asigură comunicarea cu Cerul. Avem aici prototipul unei imagini cosmologice care a cunoscut o mare răspîndire : cea a coloanelor cosmice care susțin Cerul, deschizînd calea spre lumea zeilor. Pînă la creștinare, celții și germanii încă mai păstrau cultul unor asemenea coloane sacre. *Chronicum laurissense breve*, scris prin 800, relatează cum, cu ocazia unui război împotriva saxonilor (772), Carol cel Mare a pus să se dărîme în orașul Eresburg templul și trunchiul sfînt, „renumitul Irminsul". Rodolphus de Fulda (în jurul anului 860) precizează că această coloană renumită este „coloana Universului ce susține aproape toate lucrurile" *(universalis columna quasi sustinens omnia)*. Aceeași imagine cosmologică se regăsește la romani (Horațiu, *Ode*, III, 3), în India antică — *skambha*, Coloana cosmică *(Rig Veda*, I, 105 ; X, 89, 4 etc.), dar și la locuitorii Insulelor Canare și în culturi îndepărtate, precum cele ale triburilor kwakiutl (Columbia britanică) și ale triburilor nad'a, de pe insula *Flores* (Indonezia). Kwakiutl cred că un stîlp de aramă traversează cele trei nivele cosmice (lumea de jos, Pămîntul, Cerul), iar acolo unde

pătrunde în Cer se găsește „poarta Lumii de
sus". Imaginea vizibilă a acestei Coloane cos-
mice este, pe Cer, Calea Lactee. Dar această
lucrare a zeilor, care este Universul, este re-
luată și imitată de oameni, la scara lor. *Axis
mundi,* care se vede pe Cer sub forma Căii
Lactee, este întruchipată, în casa de cult, în-
tr-un stîlp sacru. Este un trunchi de cedru de
zece sau doisprezece metri lungime, din care
mai bine de jumătate iese prin acoperișul casei
de cult. El joacă un rol capital în ceremonii :
conferă casei o structură cosmică. În cîntecele
rituale, casa este numită „lumea noastră", iar
candidații la inițiere, care locuiesc în ea, de-
clară : „Sînt în Centrul Lumii... Sînt aproape
de Stîlpul Lumii" etc.[4]. Aceeași asimilare a
Coloanei cosmice cu stîlpul sacru și a casei de
cult cu Universul există și la populația nad'a
de pe insula Flores. Stîlpul de sacrificiu se nu-
mește „Stîlpul Cerului" și se presupune că
susține Cerul[5].

### „Centrul Lumii"

Strigătul neofitului kwakiutl, „Sînt
în Centrul Lumii !", ne dezvăluie cu ușurință
una dintre semnificațiile cele mai profunde ale
spațiului sacru. Acolo unde, pe calea unei hie-
rofanii, s-a efectuat ruptura de nivel, s-a ope-
rat, în același timp, o „deschidere" spre înalt

---

[4] Werner Müller, *Weltbild und Kult der Kwakiutl-
Indianer* (Wiesbaden, 1955), p. 17—20.
[5] P. Arndt, *Die Megalithenkultur des Nad'a* („An-
thropos", 27, 1932), p. 61—62.

(lumea divină) sau spre adînc (regiunile inferioare, lumea morţilor). Cele trei nivele cosmice — Pămînt, Cer, regiuni inferioare — devin comunicante. Cum s-a văzut, comunicarea este exprimată uneori prin imaginea unei coloane universale, *Axis mundi*, care uneşte şi susţine, în acelaşi timp, Cerul şi Pămîntul şi a cărei bază este înfiptă în lumea de jos (ceea ce se numeşte „Infern"). O asemenea coloană cosmică nu se poate situa decît în chiar centrul Universului, deoarece totalitatea lumii locuibile se desfăşoară în jurul ei. Avem deci de-a face cu o înlănţuire de concepţii religioase şi de imagini cosmologice care sînt solidare şi se articulează într-un „sistem" ce poate fi numit „sistemul Lumii" societăţilor tradiţionale : a) un loc sacru constituie o ruptură în omogenitatea spaţiului ; b) această ruptură este simbolizată printr-o „deschidere", prin intermediul căreia devine posibilă trecerea dintr-o regiune cosmică în alta (din Cer pe Pămînt şi *viceversa* : de pe Pămînt în lumea inferioară) ; c) comunicarea cu Cerul este exprimată, fără deosebire, printr-un anumit număr de imagini, toate referindu-se la *Axis mundi* : stîlp (cf. *universalis columna*), scară (cf. scara lui Iacob), munte, arbore, liană etc. ; d) în jurul acestei axe cosmice se întinde „Lumea" („lumea noastră"), prin urmare, axa se găseşte „în mijloc", în „buricul Pămîntului", ea este Centrul Lumii.

Un număr considerabil de credinţe, mituri şi rituri diverse derivă din acest „sistem

al Lumii" tradiţional. Nu este cazul să le amin-
tim aici. Mai bine să ne limităm la cîteva exem-
ple, alese din civilizaţii diferite şi capabile să
ne facă să înţelegem rolul spaţiului sacru în
viaţa societăţilor tradiţionale, oricare ar fi, de
altfel, aspectul particular sub care se prezintă
acest spaţiu sacru : loc sfînt, casă de cult, ce-
tate, „Lume". Întîlnim pretutindeni simbolis-
mul Centrului Lumii, acesta fiind cel care, în
majoritatea cazurilor, face să devină inteligibil
comportamentul tradiţional legat de „spaţiul în
care se trăieşte".

Să începem cu un exemplu care are
meritul de a ne revela din plin coerenţa şi com-
plexitatea unui asemenea simbolism : Muntele
cosmic. Cum am văzut, muntele figurează
printre imaginile ce exprimă legătura dintre Cer
şi Pămînt ; se presupune, deci, că el se găseşte
în Centrul Lumii. Într-adevăr, în numeroase
culturi ni se vorbeşte despre asemenea munţi,
mitici sau reali, situaţi în Centrul Lumii ! Meru,
în India, Haraberezaiti, în Iran, muntele mitic
„Muntele Ţărilor", în Mesopotamia, Gerizim,
în Palestina, care era numit de altfel „Buricul
Pămîntului"[6]. Pentru că este o „Axis mundi"
care uneşte Pămîntul cu Cerul, Muntele sacru
atinge, într-un fel, Cerul şi marchează punctul
cel mai înalt al Lumii ; rezultă, de aici, că te-
ritoriul care-l înconjoară, şi care constituie
„lumea noastră", este considerat ţinutul cel mai
înalt. Or, tocmai un asemenea lucru îl declară

---

[6] Vezi referinţele bibliografice în *Le Mythe de
l'Éternel Retour* p. 31 şi urm.

tradiția israelită : fiind țara situată cel mai sus,
Palestina n-a fost acoperită de Potop[7]. Potrivit
tradiției islamice, locul cel mai înalt al Pămîn-
tului este Kâ'aba, deoarece „steaua polară arată
că se găsește în fața centrului Cerului" [8]. Pentru
creștini, locul acesta este Golgota, care se găsește
în vîrful Muntelui cosmic. Toate aceste credințe
exprimă un sentiment identic, profund reli-
gios : „lumea noastră" este un pămînt sfînt
*pentru că este locul cel mai apropiat de Cer*,
pentru că de aici, de la noi, se poate atinge
Cerul ; lumea noastră este, deci, „un loc înalt".
În limbaj cosmologic, această concepție religi-
oasă se traduce prin proiectarea teritoriului pri-
vilegiat, care este al nostru, în vîrful Munte-
lui cosmic. Speculațiile ulterioare au cristalizat,
cu timpul, tot felul de concluzii, de exemplu
cea pe care tocmai am văzut-o : că Pămîntul
sfînt n-a fost înecat de Potop.

Același simbolism al Centrului explică
alte serii de imagini cosmologice și de credințe
religioase, dintre care nu le vom reține decît
pe cele mai importante : a) orașele sfinte și
sanctuarele se găsesc în Centrul Lumii ;
b) templele sînt replici ale Muntelui cosmic și
constituie, prin urmare, „legătura" prin exce-
lență între Pămînt și Cer ; c) temeliile temple-
lor intră adînc în regiunile inferioare. Cîteva
exemple vor fi suficiente. Vom încerca, în con-
tinuare, să integrăm toate aceste aspecte dife-
rite ale unui simbolism identic ; vom vedea

[7] A. E. Wensinck și E. Burrows, citați în *Le Mythe
de l'Eternel Retour*, p. 33.
[8] Wensinck, citat *Ibid.*, p. 35.

atunci mai clar cît de coerente sînt aceste concepţii tradiţionale despre Lume.

Capitala Suveranului chinez perfect se găseşte în Centrul Lumii : în ziua solstiţiului de vară, la prînz, gnomonul nu trebuie să facă umbră[9]. Vom descoperi cu surprindere acelaşi simbolism aplicat templului din Ierusalim : stînca pe care era construit era „buricul Pămîntului". Pelerinul islandez Nicolaus de Therva, care a vizitat Ierusalimul în secolul al XII-lea, scrie despre Mormîntul Sfînt : „Acolo este mijlocul Lumii ; acolo, în ziua solstiţiului de vară, lumina soarelui cade perpendicular din Cer"[10]. Aceeaşi concepţie în Iran : ţara iraniană *(Airyanam Vaejah)* este Centrul şi Inima Lumii. Aşa cum inima se găseşte în mijlocul trupului, „ţara Iranului este mai de preţ decît toate celelalte ţări, pentru că este situată în mijlocul Lumii"[11]. De aceea, Shiz, „Ierusalimul" iranienilor (pentru că se găsea în Centrul Lumii), avea renumele de a fi locul originar al puterii regale şi, în acelaşi timp, oraşul natal al lui Zarathustra [12].

În ce priveşte asimilarea templelor cu Munţii cosmici şi funcţia lor de „legătură" între Pămînt şi Cer, înseşi numele turnurilor şi sanctuarelor babiloniene stau mărturie : ele se numesc „Munte al Casei", „Casă a Muntelui

---

[9] Marcel Granet, citat în al nostru *Traité d'histoire des religions* (Paris, 1949), p. 322.

[10] L. I. Ringbom, *Graltempel und Paradies* (Stockholm, 1951), p. 255.

[11] *Sad-dar, LXXXIV,* 4—5, citat de Ringbom, p. 327.

[12] Vezi documentele grupate şi discutate de Ringbom, p. 294 şi urm. şi *passim.*

tuturor Pămînturilor", „Muntele Furtunilor",
„Legătură între Cer şi Pămînt" etc. Ziguratul
era, la drept vorbind, un Munte cosmic : cele
şapte etaje reprezentau cele şapte ceruri plane-
tare ; urcîndu-le, preotul ajungea în vîrful
Universului. Un simbolism asemănător explică
enormul templu de la Barabudur, din Java,
care este construit ca un munte artificial. Esca-
ladarea lui echivalează cu o călătorie extatică
în Centrul Lumii ; ajungînd pe terasa superi-
oară, pelerinul realizează o ruptură de nivel ;
el pătrunde într-o „regiune pură", care trans-
cende lumea profană.

    *Dur-an-ki*, „legătură între Cer şi Pă-
mînt" : astfel erau denumite numeroase sanc-
tuare babiloniene (la Nippur, Larsa, Sippar
etc.). Babilonul avea o mulţime de nume, prin-
tre care „Casă a bazei Cerului şi Pămîntului",
„Legătură între Cer şi Pămînt". Tot la Babi-
lon se făcea şi legătura între Pămînt şi regiu-
nile inferioare, deoarece oraşul fusese
construit pe *bâp-apsû*, „Poarta lui Apsû",
*apsû* desemnînd Apele Haosului de dinaintea
Creaţiei. Aceeaşi tradiţie se întîlneşte şi la
evrei : stînca Templului din Ierusalim închi-
dea „gura lui *tehôm,* echivalentul ebraic al lui
*apsû.* Aşa cum la Babilon exista „Poarta lui
Apsû", stînca Templului din Ierusalim închi-
dea „gura lui *tehôm*"[13].

    *Apsû, tehôm* simbolizează, totodată,
„Haosul" acvatic, modalitatea preformală a ma-

---

[13] V. referinţele în *Le Mythe de l'Eternel Retour,*
p. 35 şi urm.

teriei cosmice şi lumea Morţii, a tot ceea ce
precede şi urmează vieţii. „Poarta lui Apsû"
şi stînca ce închide „gura lui *tehôm*" desem-
nează nu numai punctul de întîlnire, şi deci
de comunicare, între lumea inferioară şi Pă-
mînt, ci şi diferenţa de regim ontologic dintre
aceste două planuri cosmice. Există o ruptură
de nivel între *tehôm* şi stînca Templului care-i
închide „gura", trecerea de la virtual la for-
mal, de la moarte la viaţă. Haosul acvatic care
a precedat Creaţia simbolizează, în acelaşi
timp, regresia în amorf, prin moarte, şi întoar-
cerea la modalitatea larvară a existenţei. Din-
tr-un anumit punct de vedere, regiunile infe-
rioare sînt omologabile regiunilor deşertice şi
necunoscute care înconjoară teritoriul locuit ;
lumea de jos, peste care se statorniceşte, nes-
trămutat, „Cosmosul" nostru, corespunde „Ha-
osului" ce se întinde dincolo de graniţele ei.

### „Lumea noastră"
### se situează întotdeauna în Centru

Din tot ce s-a spus pînă acum rezultă
că „adevărata lume" se găseşte întotdeauna în
„mijloc", în „Centru", deoarece acolo există
ruptură de nivel, comunicarea între cele trei
zone cosmice. Este vorba întotdeauna despre un
Cosmos perfect, oricare i-ar fi întinderea. O
ţară întreagă (Palestina), un oraş (Ierusalim),
un sanctuar (Templul din Ierusalim) reprezintă,
fără deosebire, o *imago mundi*. Flavius Jo-

sephus scria, în legătură cu simbolismul Templului, că ,,Marea" (adică regiunile inferioare) era reprezentată de curte, sanctuarul reprezenta Pămîntul, iar Sfînta Sfintelor, Cerul (*Ant. Jud.*, III, VII, 7). Se constată deci că atît *imago mundi*, cît și ,,Centrul" se repetă în interiorul lumii locuite. Palestina, Ierusalimul și Templul din Ierusalim reprezintă, fiecare, în parte și simultan, imaginea Universului și Centrul Lumii. Această multiplicitate de ,,Centre" și această reiterare a imaginii Lumii la scări din ce în ce mai modeste constituie una dintre notele specifice ale societăților tradiționale.

O concluzie mi se pare că se impune : omul societăților premoderne aspiră să trăiască cît mai aproape cu putință de Centrul Lumii. El știe că țara sa se găsește efectiv în mijlocul Pămîntului ; că orașul său constituie buricul Universului și, mai ales, că Templul sau Palatul sînt adevărate Centre ale Lumii ; el vrea însă ca propria sa casă să se situeze în Centru și să fie o *imago mundi*. Și, cum vom vedea, locuințele sînt socotite a se afla efectiv în Centrul Lumii și a reproduce, la scară cosmică, Universul. Altfel spus, omul societăților tradiționale nu putea trăi decît într-un spațiu ,,deschis" către înalt, în care ruptura de nivel era simbolic asigurată și în care comunicarea cu *lumea cealaltă*, lumea ,,transcendentală" era ritual posibilă. Sanctuarul, ,,Centrul" prin excelență, era, bineînțeles, acolo, lîngă el, în orașul său, iar pentru a comunica cu lumea zeilor era de ajuns să pătrundă în Templu. *Homo*

*religiosus* simțea însă nevoia de a trăi   mereu
în Centru, la fel ca tribul achilpa care, cum am
văzut, purta peste tot cu sine stîlpul sacru, *Axis
mundi*, pentru a nu se îndepărta de Centru și
a rămîne în legătură cu lumea supraterestră.
Într-un cuvînt, indiferent de dimensiunile spa-
țiului său familiar — țara sa, orașul său, casa
sa — omul societăților tradiționale simte nevoia
constantă de a exista într-o lume totală și or-
ganizată, într-un Cosmos.

Un Univers ia naștere din Centru,  se
întinde dintr-un punct central, care-i este ca
un „buric". Astfel, după cum stă scris în *Rig
Veda* (X, 149), se naște și se dezvoltă Universul :
pornind de la un nod, de la un punct central.
Tradiția evreiască este și mai explicită : „Prea-
sfîntul a creat lumea ca pe un embrion. Tot
așa cum embrionul crește pornind de la buric,
Dumnezeu a început să creeze lumea de la bu-
ric și de acolo s-a răspîndit ea în toate direcțiile".
De vreme ce „buricul Pămîntului", Centrul
lumii, este Pămîntul sfînt, *Yoma* afirmă : „Lu-
mea" a fost creată incepînd cu Sionul[14]. Rabi
ben Gurion spunea despre colina din Ierusalim
că „se numește Piatra de bază  a Pămîntului,
adică ombilicul Pămîntului, pentru că de acolo
s-a desfășurat întreg Pămîntul"[15]. Pe de  altă
parte, deoarece crearea omului este o replică la
cosmogonie, primul om a fost modelat în „bu-
ricul Pămîntului" (tradiția mesopotamiană), în

[14] *Ibid.*, p. 36, pentru referințe.
[15] W. H. Roscher, *Neue Omphalosstudien* („Abn.
d. Königl. Sächs. Ges. d. Wiss. Phil. Klasse", XXXI, I, 1915),
p. 16.

Centrul Lumii (tradiția iraniană), în Paradisul situat în „buricul Pămîntului" sau în Ierusalim (tradiții iudeo-creștine). Nici nu se putea altfel, din moment ce Centrul este tocmai locul în care se efectuează o ruptură de nivel, în care spațiul devine sacru, *real* prin excelență. O creație implică supraabundența realității, altfel spus, iruperea sacrului în lume.

Rezultă, de aici, că orice construcție sau producție are drept model exemplar cosmologia. Crearea Lumii devine arhetipul oricărui gest creator uman, oricare ar fi planul de referință. Am văzut că instalarea într-un teritoriu reiterează cosmogonia. După ce am degajat valoarea cosmogonică a Centrului, se înțelege mai bine de ce orice așezare umană repetă Crearea lumii pornind de la un punct central („buricul"). Potrivit imaginii Universului ce se dezvoltă pornind de la un Centru, satul se constituie pornind de la o răspîntie. În insula Bali, ca și în alte regiuni ale Asiei, cînd se fac pregătirile pentru construirea unui nou sat, se caută o răscruce naturală, unde două drumuri se întretaie perpendicular. Pătratul construit în jurul punctului central este o *imago mundi*. Împărțirea satului în patru sectoare, care implică de altfel o împărțire similară a comunității, corespunde împărțirii Universului în patru orizonturi. În mijlocul satului se lasă adesea un loc gol : acolo va fi înălțată mai tîrziu casa de cult, al cărei acoperiș reprezintă, simbolic, Cerul (indicat uneori prin vîrful unui copac sau prin imaginea unui munte). Pe aceeași axă perpendiculară se găsește, la cealaltă extremitate, lumea morților, simbolizată de anumite animale (șarpe, crocodil etc.) sau prin ideogramele tenebrelor[16].

Simbolismul cosmic al satului este reluat în structura sanctuarului sau a casei de cult. La populația waropen, din Guineea, ,,casa bărbaților'' se găsește în mijlocul satului : acoperișul ei reprezintă bolta cerească, cei patru pereți corespund celor patru direcții ale spațiului. La populația ceram, piatra sacră a satului simbolizează Cerul, iar cele patru coloane de piatră care o susțin reprezintă cei patru stîlpi care îl susțin[17]. Concepții analoage se regăsesc la triburile de algonkini și siuși : coliba sacră, în care au loc inițierile, reprezintă universul. Acoperișul simbolizează bolta cerească, podeaua reprezintă Pămîntul, cei patru pereți, cele patru direcții ale spațiului cosmic. Constituirea rituală a spațiului este subliniată de un triplu simbolism : cele patru uși, cele patru ferestre și cele patru culori simbolizează punctele cardinale. Construcția colibei sacre repetă deci cosmogonia[18].

Nu vom fi surprinși întîlnind o concepție similară în Italia antică și la vechii germani. Este vorba, în definitiv, despre o idee arhaică și foarte răspîndită : pornind de la un Centru, se proiectează cele patru orizonturi, în cele patru direcții cardinale. *Mundus*-ul roman era o

[16] Cf. C. T. Bertling, *Vierzahl, Kreuz und Mandala in Asien* (Amsterdam, 1954) p. 8 și urm.
[17] Vezi referințele în Bertling, *op. cit.*, p. 4—5.
[18] Vezi materialele grupate și interpretate de Werner Müller, *Die blaue Hütte* (Wiesbaden, 1954), p. 60 și urm.

groapă circulară, împărţită în patru ; era atît
imaginea Cosmosului, cît şi modelul exemplar
al locuinţei omeneşti. S-a sugerat, pe bună drep-
tate, că *Roma quadrata* trebuie să fie înţeleasă
nu ca avînd forma unui pătrat, ci ca fiind îm-
părţită în patru[19]. *Mundus* era asimilat, în mod
evident, cu *omphalos,* cu ombilicul Pămîntului :
Oraşul *(Urbs)* se situa în mijlocul lui *orbis ter-
rarum.* După cum s-a arătat, idei similare ex-
plică structura satelor şi a oraşelor germanice[20].
În contexte culturale deosebit de variate regă-
sim mereu aceeaşi schemă cosmologică şi ace-
laşi scenariu ritual : *instalarea într-un teritoriu
echivalent cu întemeierea unei lumi.*

### Cetate — Cosmos

Dacă este adevărat că lumea noastră este
un Cosmos, orice atac din exterior ameninţă să
o transforme în „Haos". Şi de vreme ce „lumea
noastră" a fost întemeiată imitînd opera exem-
plară a zeilor, cosmogonia, adversarii care o
atacă sînt asimilaţi cu duşmanii zeilor, demonii,
şi mai ales cu arhidemonul, Dragonul primor-
dial, învins de zei la începuturile timpului. Ata-
cul asupra „lumii noastre" reprezintă răzbu-
narea dragonului mitic care se răzvrăteşte
împotriva operei zeilor, Cosmosul, şi se strădu-

---

[19] F. Altheim lui Werner Müller, *Kreis und Kreuz*
(Berlin, 1938), p. 60 şi urm.
[20] *Ibid.,* p. 65 şi urm. Cf., de asemenea, W. Müller,
*Die heilige Stadt* (Stuttgart, 1961). Vom reveni asupra acestei
probleme într-o lucrare în pregătire, *Cosmos, templu, casă.*

ieşte să o reducă la neant. Duşmanii se numără
printre puterile Haosului. Orice distrugere a
unei cetăţi echivalează cu o întoarcere la Haos.
Orice victorie împotriva atacatorului reiterează
victoria exemplară a zeului împotriva Drago-
nului (împotriva „Haosului").

Din acest motiv, Faraonul era asimilat
cu zeul Râ, învingător al dragonului Apophis,
în timp ce duşmanii lui erau identificaţi cu acest
Dragon mitic. Darius se considera un nou
Thraetaona, erou mitic iranian care ucisese un
Dragon cu trei capete. În tradiţia iudaică, regii
păgîni erau înfăţişaţi cu trăsăturile Dragonu-
lui : aşa este descris Nabucodonosor de Ieremia
(XLI, 34) sau Pompei în *Psalmii* lui Solomon
(IX, 29).

Dupã cum se va vedea în cele ce urmează,
Dragonul este figura exemplară a Monstrului
marin, a Şarpelui primordial, simbol al Apelor
cosmice, al Tenebrelor, al Nopţii şi al Morţii, în-
tr-un cuvînt, al amorfului şi virtualului, a tot
ceea ce nu are încă o „formă". Dragonul a tre-
buit să fie înfrînt şi tăiat în bucăţi de zeu, iar
Cosmosul a putut ieşi la lumină. Marduk a mo-
delat lumea din corpul monstrului marin Tia-
mat. Iahve a creat Universul după victoria sa
împotriva monstrului primordial Rahab. Aşa
cum vom vedea, însă, această victorie a zeului
asupra Dragonului trebuie să fie repetată sim-
bolic în fiecare an, pentru că în fiecare an lu-
mea trebuie să fie creată din nou. Victoria zei-
lor asupra forţelor Tenebrelor, ale Morţii şi ale
Haosului se repetă, de asemenea, cu fiecare vic-
torie a cetăţii împotriva invadatorilor.

Este foarte probabil ca fortificaţiile spa-
ţiilor locuite şi ale cetăţilor să fi fost, la origine,
fortificaţii magice ; aceste fortificaţii — şanţuri,
labirinturi, ziduri de apărare etc. — erau des-
tinate a împiedica invazia demonilor şi a suflе-
telor morţilor, mai degrabă decît atacul oameni-
lor. În nordul Indiei, în timpul epidemiilor, se
trasează în jurul satului un cerc, menit să le in-
terzică demonilor bolii să pătrundă în împrej-
muire [21]. În Occidentul medieval, zidurile ce-
tăţilor erau consacrate ritual ca un mijloc de
apărare împotriva Demonului, a Bolii şi a Mor-
ţii. Gîndirea simbolică nu întîmpină, de altfel,
nici o dificultate în a asimila duşmanul omenesc
cu Demonul şi cu Moartea. La urma urmelor,
rezultatul atacurilor lor, fie ele demonice sau
militare, este acelaşi : ruina, dezintegrarea,
moartea.

Aceleaşi imagini se folosesc şi în zilele
noastre cînd este vorba să enunţăm pericolele
ce ameninţă un anumit tip de civilizaţie : se vor-
beşte îndeosebi de „haos", de „dezordine", de
„tenebrele" în care se va nărui „lumea noastră".
Toate aceste manifestări înseamnă abolirea unei
ordini, a unui Cosmos, a unei structuri organice
şi reintrarea într-o stare fluidă, amorfă, pe scurt,
haotică. Aceasta dovedeşte, ni se pare, că ima-
ginile exemplare încă mai supravieţuiesc în lim-
bajul şi clişeele omului modern. Ceva din con-
cepţia tradiţională asupra Lumii se prelungeşte
în comportamentul acestuia, chiar dacă el nu
este întotdeauna conştient de această moştenire
imemorială.

[21] M. Eliade, *Traité d'histoire des religions*, p. 319.

## A-ţi asuma Crearea Lumii

Să subliniem, pentru început, diferenţa radicală care se desprinde din compararea celor două comportamente — „tradiţional" şi „modern" —în legătură cu locuinţa omenească. Este superfluu să insistăm asupra valorii şi funcţiei spaţiului de locuit în societăţile industriale : ele sînt destul de cunoscute. Potrivit formulei unui celebru arhitect contemporan, Le Corbusier, casa este o „maşină de locuit". Ea se numără, deci, printre nenumăratele maşini produse în serie de societăţile industriale. Casa ideală a lumii moderne trebuie să fie, înainte de toate, funcţională, adică să le permită oamenilor să lucreze şi să se odihnească pentru a asigura munca. „Maşina de locuit" poate fi schimbată la fel de frecvent ca bicicleta, frigiderul, automobilul. Pot fi părăsite, de asemenea, oraşul sau provincia natală, fără alt inconvenient decît cel care decurge dintr-o schimbare de climă.

Nu ne propunem să descriem aici istoria desacralizării lente a locuinţei umane. Acest proces face parte integrantă din uriaşa transformare a Lumii, asumată de către societăţile industriale şi devenită posibilă prin desacralizarea Cosmosului, sub acţiunea gîndirii ştiinţifice şi mai ales a descoperirilor senzaţionale ale fizicii şi chimiei. Vom avea mai tîrziu ocazia să ne întrebăm dacă această secularizare a Naturii este cu adevărat definitivă, dacă nu există nici o posibilitate, pentru omul modern, de a regăsi dimensiunea sacră a existenţei în Lume. După cum am văzut şi cum vom putea vedea în con-

tinuare, anumite imagini tradiţionale, anumite
urme ale conduitei omului premodern încă mai
persistă, ca „supravieţuiri" , chiar în societăţile
cele mai industrializate. Ceea ce ne interesează
deocamdată este să arătăm, în stadiul pur, com-
portamentul tradiţional cu privire la locuinţă şi
să degajăm acea *Weltanschauung* pe care o im-
plică.

Instalarea într-un teritoriu, construirea
unei locuinţe echivalează, cum am văzut, cu o
hotărîre vitală, atît pentru comunitate, cît şi
pentru individ. Aceasta, pentru că tre-
buie *asumată crearea „lumii"* alese pen-
tru a fi locuită. Trebuie imitată deci lucrarea
zeilor, cosmogonia. Acest lucru nu este întotdea-
una uşor, pentru că există şi cosmogonii tragice,
sîngeroase : imitator al gesturilor divine, omul
trebuie să le repete. Dacă a trebuit ca zeii să ră-
pună şi să taie în bucăţi un Monstru marin sau
o Fiinţă primordială pentru a putea salva lumea,
omul, la rîndul său, trebuie să-i imite atunci
cînd îşi construieşte lumea, cetatea sau casa.
Rezultă, de aici, necesitatea sacrificiilor sînge-
roase sau simbolice cu ocazia construirii, în le-
gătură cu care vom avea de spus cîteva cuvinte.

Oricare ar fi structura unei societăţi tra-
diţionale — fie ea o societate de păstori şi vînă-
tori, de agricultori sau ajunsă deja în stadiul ci-
vilizaţiei urbane —, locuinţa este întotdeauna
sanctificată datorită faptului că ea constituie o
*imago mundi* şi că lumea este o creaţie divină.
Există însă mai multe modalităţi de a omologa
locuinţa cu Cosmosul, tocmai pentru că există
mai multe tipuri de cosmogonie. Pentru scopul

urmărit aici, este suficient să distingem două
mijloace de transformare rituală a locuinței (atît
a teritoriului, cît și a casei) în Cosmos, conferin-
du-i valoarea de *imago mundi* : a) asimilînd-o
cu Cosmosul, prin proiectarea celor patru ori-
zonturi pornind de la un punct central, cînd este
vorba despre un sat, sau prin instalarea simbo-
lică a lui *Axis mundi*, cînd este vorba despre lo-
cuința familială ; b) repetînd, printr-un ritual
de construire, actul exemplar al zeilor, datorită
căruia Lumea a luat naștere din corpul unui
Dragon marin sau al unui Uriaș primordial. Nu
trebuie să insistăm aici asupra diferenței radi-
cale de *Weltanschauung* dintre aceste două mo-
dalități de sanctificare a locuinței, nici asupra a
ceea ce ele presupun în plan istorico-cultural. Să
spunem doar că primul joc — ,,cosmicizarea"
unui spațiu prin proiectarea orizonturilor sau
prin instalarea lui *Axis mundi* — este deja ates-
tat în studiile cele mai arhaice de cultură (cf.
stîlpul *kauwa-auwa* al australienilor achilpa), în
timp ce al doilea mijloc pare a fi fost inaugurat
de cultivatori arhaici. Ceea ce interesează cerce-
tarea noastră este faptul că, în toate culturile
tradiționale, locuința comportă un aspect sacru
și, prin însuși faptul acesta, reflectă Lumea.

Într-adevăr, locuința populațiilor primi-
tive arctice, nord-americane sau nord-asiatice,
prezintă un stîlp central, care este asimilat cu
*Axis mundi*, cu Coloana cosmică sau cu Arbo-
rele Lumii care, după cum am văzut, unesc Pă-
mîntul și Cerul. Cu alte cuvinte, *se relevă, în
însăși structura locuinței, simbolismul cosmic.*
Cerul este conceput ca un cort imens susținut

de un stîlp central : ţăruşul cortului sau stîlpul
central al casei sînt asimilaţi cu Coloanele Lumii
şi sînt astfel numiţi. La picioarele stîlpului cen-
tral au loc sacrificiile în onoarea Fiinţei celeste
supreme ; aceasta ne ajută să înţelegem impor-
tanţa funcţiei lui rituale. Acelaşi simbolism
s-a păstrat la păstorii-crescători din Asia
centrală, dar locuinţa cu acoperiş conic
şi stîlp central este înlocuită, aici, cu
iurta, funcţia mitico-rituală a stîlpului
fiind acordată deschiderii superioare pentru
eliminarea fumului. La fel ca stîlpul (=*Axis
mundi*), arborele fără ramuri al cărui vîrf iese
prin deschizătura superioară a iurtei (şi care sim-
bolizează Arborele cosmic) este conceput ca o
scară ce duce la Cer : pe el se caţără şamanii
în călătoria lor celestă. Ei zboară prin deschi-
zătura superioară [22]. Coloana sacră, înălţată în
mijlocul locuinţei, se mai întîlneşte în Africa,
la popoarele de păstori hamiţi şi hamitoizi [23].

În concluzie, orice locuinţă se situează
în apropierea lui *Axis mundi*, deoarece omul re-
ligios doreşte să trăiască în ,,Centrul Lumii",
altfel spus, în *real*.

### Cosmogonie şi sacrificiul construirii

O concepţie similiară se întîlneşte într-o
cultură atît de evoluată precum aceea a Indiei,
dar aici îşi face loc şi cealaltă modalitate de omo-
logare a casei cu Cosmosul, modalitate despre

[22] M. Eliade, *Le Chamanisme et les techniques
archaïques de l'extase* (Paris, 1951), p. 238 şi urm.
[23] Wilhelm Schmidt, *Der heilige Mittelpfahl des
Hauses* (,,Anthropos", XXXV—XXXVI, 1940—1941), p. 967.

care am spus cîteva cuvinte mai sus. Înainte ca zidarii să pună prima piatră, astrologul le indică punctul temeliei, aflat deasupra Şarpelui care susţine lumea. Meşterul zidar ciopleşte un ţăruş şi îl înfige în pămînt exact în punctul desemnat, pentru *a pironi* capul şarpelui. O piatră de temelie este pusă apoi deasupra ţăruşului. *Piatra unghiulară se găseşte, astfel, exact în* „Centrul Lumii [24]. Pe de altă parte, actul fundării repetă actul cosmogonic ; înfigerea ţăruşului în capul şarpelui şi pironirea lui echivalează cu imitarea gestului primordial al lui Soma sau al lui Indra care, potrivit *Rig Vedei,* „a lovit Şarpele în cuibul lui" (VI ; XVII, 9) şi i-a „retezat capul" cu străfulgerarea ochilor săi (I, II, 10). Cum am amintit deja, *Şarpele simbolizează Haosul, amorful, ceea ce nu s-a manifestat. A-l decapita echivalează cu un act de creaţie,* cu trecerea de la virtual şi amorf la formal. Ne amintim că zeul Marduk a modelat lumea din corpul unui monstru marin primordial, Tiamat. Această victorie era repetată simbolic în fiecare an, deoarece Lumea se reînnoieşte în fiecare an. Actul exemplar al istoriei divine era repetat, de asemenea, cu ocazia fiecărei noi construcţii, deoarece orice construcţie nouă reproducea Crearea Lumii.

Acest al doilea tip de cosmogonie este mult mai complex, astfel încît nu vom face decît să-l schiţăm. Nu putem să ne dispensăm de el, deoarece, în ultimă instanţă, cu o asemenea cosmogonie sînt solidare nenumăratele

[24] S. Stevenson, *The Rites of the Twice-Born* (Oxford, 1920), p. 354.

forme de sacrificiu al construirii, care nu este,
în definitiv, decît o imitare, adesea simbolică,
a sacrificiului primordial care a dat naștere
Lumii. Într-adevăr, de la un anumit tip de cul-
tură, mitul cosmogonic interpretează Creația
prin uciderea unui Uriaș (Ymir, în mitologia
germanică, Puruşa, în mitologia indiană,
P'an-ku, în China) : organele sale dau naștere
diferitelor regiuni cosmice. Potrivit altor gru-
puri de mituri, nu numai Cosmosul ia naștere
în urma sacrificării unei Ființe primordiale și
din chiar substanța acesteia, ci și plantele co-
mestibile, rasele omenești sau diferitele clase
sociale. Sacrificiile construirii depind de aceste
tipuri de mituri cosmogonice. Pentru a dura, o
„construcție" (casă, templu, operă tehnică etc.)
trebuie să fie animată, să primească atît viață,
cît și suflet. „Transferul" sufletului nu este po-
sibil decît pe calea unui sacrificiu sîngeros. Is-
toria religiilor, etnologia, folclorul cunosc ne-
numărate forme de sacrificii ale construirii, de
sacrificii sîngeroase sau simbolice, făcute în
folosul unei construcții [25]. În sud-estul Europei,
aceste rituri și credințe au dat naștere unor
balade populare admirabile, reprezentînd sacri-
ficarea soției meșterului zidar pentru ca o con-
strucție să poată fi terminată (cf. baladele
podului Arta din Grecia, a mănăstirii Argeş în
România, a cetății Scutari în Albania etc.).

---

[25] Cf. Paul Sartori, *Ueber das Bauopfer* („Zeitschrift
für Ethnologie", XXX, 1898, p. 1—54) ; M. Eliade, *Manole
et le Monastère d'Argesh* („Revue des Etudes roumaines",
III—IV, Paris, 1955—56, p. 7—28).

Am vorbit destul despre semnificaţia religioasă a locuinţei umane pentru ca anumite concluzii să se impună de la sine. Ca şi cetatea sau sanctuarul, casa este sanctificată în parte sau în totalitate, printr-un simbolism sau un ritual cosmogonic. Din acest motiv, a te instala undeva, a construi un sat sau doar o casă reprezintă o hotărîre gravă, deoarece angajează însăşi existenţa omului : este vorba, de fapt, de a crea propria ,,lume" şi a asuma responsabilitatea de a o menţine şi a o reînnoi. Locuinţa nu se schimbă cu inima uşoară, pentru că nu este uşor să-ţi abandonezi ,,lumea". Locuinţa nu este un obiect, o ,,maşină de locuit": *ea este Universul pe care şi-l construieşte omul, imitînd Creaţia exemplară a zeilor, cosmogonia.* Orice construire şi orice inaugurare a unei noi locuinţe echivalează, într-o oarecare măsură, cu un *nou început, cu o viaţă nouă.* Şi orice început repetă începutul primordial, cînd Universul a ieşit la lumina zilei pentru întîia oară. Pînă şi în societăţile moderne, atît de puternic desacralizate, sărbătorile şi veselia ce însoţesc instalarea într-o casă nouă încă mai păstrează amintirea festivităţilor zgomotoase care marcau odinioară *incipit vita nova.* Fiind o *imago mundi,* locuinţa se situează simbolic în ,,Centrul Lumii". Mulţimea, chiar infinitatea Centrelor Lumii nu este o piedică pentru gîndirea religioasă. De fapt, nu este vorba de spaţiul geometric, ci de un spaţiu existenţial şi sacru, care prezintă o cu totul altă structură, fiind susceptibil de o infinitate de rupturi şi, prin urmare, de comunicări cu transcendentul.

Am subliniat semnificaţia cosmologică şi rolul ritual al deschizăturii superioare a diferitelor forme de locuinţă. În alte culturi, aceste semnificaţii cosmologice şi funcţii rituale sînt atribuite căminului (orificiul pentru fum) şi părţii din acoperiş aflate deasupra ,,colţului sacru", îndepărtată sau chiar spartă în caz de agonie prelungită. Vom avea ocazia să arătăm semnificaţia profundă a acestei ,,distrugeri a acoperişului ", legată de omologarea Cosmos-Casă-Corp omenesc. Să amintim, deocamdată, că cele mai vechi sanctuare erau hipetre sau prezentau o deschizătură în acoperiş : era ,,ochiul domnului ", simbolizînd ruptura de nivel, comunicarea cu transcendentul.

*Arhitectura sacră nu a făcut decît să reia şi să dezvolte simbolismul cosmologic deja prezent în structura locuinţelor primitive.* La rîndul ei, locuinţa umană fusese precedată, cronologic, de ,,locul sfînt" provizoriu, de spaţiul consacrat şi cosmicizat provizoriu (cf. australienii achilpa). Altfel spus, toate simbolurile şi ritualurile legate de temple, cetăţi, case *derivă, în ultimă instanţă, din experienţa primară a spaţiului sacru.*

### Templu, bazilică, catedrală

În marile civilizaţii orientale - din Mesopotamia şi Egipt pînă în China şi India - Templul a cunoscut o nouă şi importantă valorizare : el nu este doar o *imago mundi*, ci şi reproducerea terestră a unui model transcendent. Iudaismul a moştenit această concepţie paleoorientală despre Templu ca o copie a unui arhetip celest, idee care este, probabil, una dintre ultimele interpretări pe care le-a dat omul religios experienţei primare a spaţiului sacru, prin opoziţie cu spaţiul profan. Trebuie să insistăm puţin asupra perspectivelor deschise de această nouă concepţie religioasă.

Să amintim esenţialul problemei : dacă Templul constituie o *imago mundi*, este pentru că Lumea, ca operă a zeilor, este sacră. Structura cosmologică a Templului aduce însă o nouă valorizare religioasă : loc sfînt prin excelenţă, casă a zeilor, Templul resanctifică în mod continuu Lumea, pentru că o reprezintă şi o conţine în acelaşi timp. În definitiv, datorită Templului este resanctificată Lumea în totalitate. Oricare ar fi gradul de impuritate a Lumii, ea este continuu purificată de sfinţenia sanctuarelor.

Pornind de la această diferenţă ontologică ce se impune din ce în ce mai mult (între *Cosmos şi imaginea lui sanctificată*, Templul), îşi face loc o altă idee : aceea că sfinţenia Templului este la adăpost de orice corupţie terestră. Aceasta, datorită faptului că planul arhitectural al Templului este opera zeilor şi, prin urmare, se găseşte foarte aproape de zei, în Cer. Modelele transcendente ale Templelor se bucură de o existenţă spirituală, incoruptibilă, celestă. Prin graţia zeilor, omul accede la viziunea fulgurantă a acestor modele şi se străduieşte apoi să le reproducă pe Pămînt. Regele babilonian Gudea a văzut-o în vis pe zeiţa Nidaba arătîndu-i o tăbliță pe care erau menționate stelele benefice, iar un zeu i-a revelat planul Templului. Sennacherib a construit Ninive potrivit „proiectului stabilit din vremuri foarte îndepărtate în configurația Cerului" [26]. Aceasta nu vrea să spună doar că „geometria celestă" a făcut ca primele construcții să devină posibile, ci mai ales că modelele arhitectonice, găsindu-se în Cer, participă la sacralitatea uraniană.

Pentru poporul lui Israel, modelele tabernacului, ale tuturor uneltelor sacre și al Templului au fost create de Iahve în vremuri imemoriale, iar Iahve le-a revelat aleșilor săi pentru a fi reproduse pe Pămînt. El se adresează lui Moise cu următoarele cuvinte : „Și să-mi faci locaș sfînt [...] întocmai cum îți voi arăta eu : chipul locașului și chipul tuturor odoarelor lui întocmai să le faci" (*Exodul*, XXV, 8— 9). „Și vezi să le faci toate după chipul care ți s-a arătat în munte" (*Ibid.*, XXV, 40). Atunci cînd David îi dă fiului său, Solomon, planul clădirilor Templului, al tabernacului și al tuturor uneltelor, el îl asigură că „Pentru toate acestea, pentru toată întocmirea și îndeplinirea planului, Domnul m-a însuflat printr-o scrisoare de la mîna sa" (I Cronici, XXVIII, 19). El a văzut, deci, modelul celest creat de Iahve la începuturile timpului. Asta o declară și Solomon : „Tu mi-ai poruncit să zidesc templul în numele tău cel sfînt și un jertfelnic în cetatea în care locuiești, după chipul cortului celui

---

[26] Cf. *Le Mythe de l'Eternel Retour*, p. 23.

sfînt, pe care l-ai pregătit dintru început" *(În-țelepciunea*, IX, 8).

Ierusalimul celest a fost creat de Dumnezeu în același timp cu Paradisul, deci *in aeternum*. Orașul Ierusalim nu era decît reproducerea aproximativă a modelului transcendent : putea fi pîngărit de către om, dar modelul era incoruptibil, nefiind implicat în timp. „Construcția ce se găsește acum în mijlocul vostru nu este cea revelată în mine, cea care era gata încă din vremea cînd mă hotărîsem să creez Paradisul și pe care i-am arătat-o lui Adam înainte de păcat" *(Apocalipsa lui Baruc*, II, IV, 3—7).

Bazilica creștină și, mai tîrziu, catedrala reiau și prelungesc toate aceste simbolisme. Pe de o parte, biserica este concepută ca imitare a Ierusalimului celest, și aceasta încă din antichitatea creștină ; pe de altă parte, reproduce Paradisul sau lumea celestă. Dar structura cosmologică a edificiului sacru persistă încă în conștiința creștinității : ea este evidentă, de exemplu, în biserica bizantină. „Cele patru părți ale interiorului unei biserici simbolizează cele patru direcții cardinale. Interiorul bisericii este Universul. Altarul, spre răsărit, e Raiul. Ușile împărătești ale sanctuarului propriu-zis se mai numesc «Ușile Raiului». În săptămîna Paștilor, această ușă rămîne deschisă pe tot timpul slujbei ; sensul acestui obicei este explicat clar în Canonul pascal : Hristos s-a ridicat din mormînt și ne-a deschis porțile Raiului. Apusul, dimpotrivă, este tărîmul negurilor, întristării, al morții, lăcașul etern al celor adormiți care așteaptă învierea trupurilor și judecata din urmă. Cen-

trul bisericii este Pămîntul. Potrivit părerii lui
Cosmas Indikopleustes, Pămîntul este dreptunghiular şi mărgint de patru ziduri care susţin
bolta. Cele patru părţi ale interiorului bisericii simbolizează aşadar punctele cardinale" [27].
Ca imagine a Cosmosului, biserica bizantină întruchipează şi sanctifică, totodată, Lumea.

### Cîteva concluzii

Din miile de exemple de care dispune
istoricul religiilor, n-am citat decît un număr
destul de redus, suficient totuşi pentru a înţelege diversitatea experienţei religioase a spaţiului. Am ales aceste exemple din culturi şi epoci
diferite pentru a prezenta măcar expresiile mitologice şi scenariile rituale cele mai importante
legate de experienţa spaţiului sacru. De-a lungul istoriei, omul religios a valorizat în mod
diferit această experienţă fundamentală. Nu
avem decît să comparăm concepţia asupra spa
ţiului sacru, deci a Cosmosului, aşa cum poate
fi observată la australienii achilpa, cu concepţiile
similare ale populaţiei kwakiutl, ale altaicilor
sau mesopotamienilor, pentru a ne da seama de
deosebirile dintre ele. Ar fi inutil să insistăm
asupra acestui truism : pentru că viaţa religioasă a umanităţii se petrece în Istorie, expresiile ei sînt stiluri condiţionate, în mod fatal,
de multiplele momente istorice şi stiluri culturale. Totuşi, nu diversitatea nesfîrşită a ex-

---

[27] Hans Sedlmayer, *Die Entstehung der Kathedrale*
(Zurich, 1950), p. 119 ; W. Wolska, *La Topographie chrétienne de Cosmas Indicopleustès* (Paris, 1962), p. 131 şi
*passim.*

perienţelor religioase ale spaţiului ne intere-
sează aici, ci, dimpotrivă, elementele lor de
unitate. Într-adevăr, este suficient să compa-
răm comportamentul unui om nereligios referi-
tor la spaţiul în care trăieşte şi comportamentul
omului religios legat de spaţiul sacru pentru a
surprinde de îndată diferenţa de structură care
le desparte.

Dacă ar trebui să rezumăm rezultatul
descrierilor precedente, am spune că experienţa
spaţiului sacru face posibilă „fundarea Lumii" :
acolo unde sacrul se manifestă în spaţiu, *se
dezvăluie realul*, Lumea începe să existe. Irup-
ţia sacrului nu proiectează însă doar un punct
fix în fluiditatea amorfă a spaţiului profan, un
„Centru" în „Haos" ; ea efectuează, în egală
măsură, o ruptură de nivel, deschide comunica-
rea între nivelele cosmice (Pămîntul şi Cerul)
şi face posibilă trecerea, de ordin ontologic, de
la un mod de a fi la altul. Tocmai o asemenea
ruptură în eterogenitatea spaţiului profan
creează „Centrul" prin care se poate comunica
cu „transcendentul" ; prin urmare, Centrul
fundează „Lumea", făcînd posibilă o *orientatio*.
Manifestarea sacrului în spaţiu are, în conse-
cinţă, o valenţă cosmologică : orice hierofanie
spaţială sau consacrare a unui spaţiu echiva-
lează cu o „cosmogonie". O primă concluzie ar
fi următoarea : *Lumea se lasă descoperită ca
lume, deci Cosmos, în măsura în care se dezvă-
luie ca lume sacră.*

Orice lume este opera zeilor, pentru că
fie a fost creată direct de către zei, fie consa-
crată, deci „cosmicizată" de către oameni, care

au reactualizat, ritual, actul exemplar al Crea-
ției. Cu alte cuvinte, omul religios nu poate să
trăiască decît într-o lume sacră, deoarece nu-
mai o asemenea lume participă la ființă, *există
cu adevărat*. Această necesitate religioasă ex-
primă o nestinsă sete ontologică. Omul religios
este însetat de *ființă*. Teroarea în fața „Haosu-
lui" care înconjoară lumea sa locuită cores-
punde terorii sale în fața neantului. Spațiul ne-
cunoscut ce se întinde dincolo de „lumea" sa,
spațiu necosmicizat, pentru că este neconsacrat,
simplă întindere amorfă în care nici o structură
nu s-a degajat încă, spațiul acesta profan re-
prezintă, pentru omul religios, neființa abso-
lută. Dacă, printr-o întîmplare nefericită, se
rătăcește în el, omul religios se simte golit de
substanța sa „ontică", se dizolvă parcă în Haos
și sfîrșește prin a se stinge.

Această sete ontologică se manifestă în
diverse feluri. Cea mai impresionantă, în cazul
special al spațiului sacru, este voința omului
religios de a se situa în inima realului, în Cen-
trul Lumii : acolo de unde Cosmosul a început
să prindă viață și să se întindă spre cele patru
orizonturi, acolo unde există și posibilitatea de
a comunica cu zeii ; într-un cuvînt, acolo unde
este *cel mai aproape de zei*. Am văzut că sim-
bolismul Centrului Lumii nu „lămurește" doar
existența țărilor, a cetăților, a templelor și pala-
telor, ci și pe aceea a celei mai modeste locuințe
umane, cort al vînătorului nomad, iurtă a păs-
torilor, casă a cultivatorilor sedentari. Pe scurt,
orice om religios se situează, în același timp,
în Centrul Lumii și la izvorul însuși al realită-

ţii absolute, foarte aproape de „deschizătura" care-i asigură comunicarea cu zeii.

Dar, din moment ce a te instala undeva, a locui un spaţiu înseamnă a reitera cosmogonia, deci a imita opera zeilor, orice hotărîre existenţială de a se „situa" în spaţiu constituie pentru omul religios o hotărîre „religioasă". Asumîndu-şi responsabiltatea de a „crea" Lumea pe care a ales să o locuiască, el nu „cosmicizează" doar Haosul, ci sanctifică micul său Univers, făcîndu-l să devină asemănător cu lumea zeilor. Profunda nostalgie a omului religios este aceea de a locui într-o „lume divină", de a avea o casă asemănătoare „casei zeilor", aşa cum a fost ea întruchipată mai tîrziu în temple şi sanctuare. Într-un cuvînt, această nostalgie religioasă exprimă *dorinţa de a trăi într-un Cosmos pur şi sfînt, aşa cum era la început, cînd ieşea din mîinile Creatorului.*

Experienţa Timpului sacru îi va permite omului religios să regăsească periodic Cosmosul, aşa cum era el *in principio*, în momentul mitic al Creaţiei.

### Durată profană şi Timp sacru

Ca şi spaţiul, Timpul nu este, pentru omul religios, nici omogen, nici continuu. Există intervale de Timp sacru, timpul sărbătorilor (periodice, în majoritate) ; există, pe de altă parte, Timpul profan, durata temporală obişnuită, în care se înscriu actele lipsite de semnificaţie religioasă. Între aceste două feluri de timp există, bineînţeles, o soluţie de continuitate ; prin intermediul riturilor, omul religios poate „trece" însă, fără pericol, din durata temporală obişnuită în Timpul sacru.

Să remarcăm, de la început, o diferenţă esenţială între aceste două calităţi ale Timpului : *Timpul sacru este, prin însăşi natura lui, reversibil*, în sensul că, la drept vorbind, este *un Timp mitic primordial devenit prezent.* Orice sărbătoare religioasă, orice Timp liturgic constă în reactualizarea unui eveniment sacru ce a avut loc într-un trecut mitic, „la început". A participa religios la o sărbătoare înseamnă să ieşi din durata temporală „obişnuită" pentru a te reintegra în Timpul mitic reactualizat de sărbătoarea însăşi. Timpul sacru este, prin urmare, recuperabil, repetabil la nesfîrşit. Dintr-un anumit punct de vedere, s-ar putea spune despre el că nu „curge", că nu constituie o „durată"

ireversibilă. Este un timp ontologic prin exce-
lență, „parmenidean" ; mereu egal cu sine în-
suși, el nu se schimbă, nici nu se sfîrșește. La
fiecare sărbătoare periodică se regăsește același
Timp sacru, identic cu cel manifestat la sărbă-
toarea ce a avut loc cu un an sau cu un secol în
urmă : Timpul creat și sanctificat de zei în vre-
mea *gestei* lor este reactualizat prin sărbătoare.
Cu alte cuvinte, în sărbătoare se regăsește *prima
apariție a Timpului sacru,* așa cum s-a produs
ea *ab origine, in illo tempore.* Căci acest timp
sacru în care se desfășoară sărbătoarea nu există
înaintea *gestelor* divine comemorate de ea.
Creînd diferitele realități care constituie astăzi
Lumea, zeii întemeiau, totodată, *Timpul sacru,*
căci Timpul contemporan unei creații era, în
mod necesar, sanctificat de prezența și activita-
tea divină.

Omul religios trăiește astfel în două fe-
luri de timp, dintre care cel mai important, Tim-
pul sacru, se prezintă sub aspectul paradoxal
al unui Timp circular, reversibil și recuperabil,
un fel de etern prezent mitic, în care te reinte-
grezi periodic prin intermediul riturilor. Acest
comportament privitor la Timp este suficient
pentru a distinge omul religios de omul nere-
ligios : primul refuză să trăiască doar în ceea ce,
în termeni moderni, se numește „prezent is-
toric" ; el se străduiește să regăsească un Timp
sacru care, în anumite privințe, poate fi omolo-
gat cu „Eternitatea".

Ar fi mai dificil să precizăm, în cîteva
cuvinte, ce este Timpul pentru omul nereligios
al societăților moderne. Nu intenționăm să vor-

bim despre filozofiile moderne ale Timpului,
nici despre conceptele pe care le foloseşte şti-
inţa contemporană pentru propriile ei cercetări.
Scopul nostru nu este acela de a compara sis-
teme sau filozofii, ci comportamente existen-
ţiale. Or, ceea ce putem constata în legătură cu
un om nereligios este faptul că şi el cunoaşte o
oarecare discontinuitate şi eterogenitate a Tim-
pului. Există şi pentru el, în afara timpului mo-
noton al muncii, timpul răgazului şi al specta-
colelor, „timpul festiv" ; şi el trăieşte conform
unor ritmuri temporale diferite şi cunoaşte tim-
puri de intensitate variabilă : atunci cînd as-
cultă muzica preferată sau, îndrăgostit, aşteaptă
ori întîlneşte persoana iubită, el simte, evident,
un alt ritm temporal decît acela în care mun-
ceşte sau se plictiseşte.

De omul religios îl desparte însă o dife-
renţă esenţială : acesta cunoaşte intervale „sa-
cre", fără legătură cu durata temporală care le
precede şi le urmează, avînd o cu totul altă
structură şi o altă „origine". Este vorba de un
Timp primordial, sanctificat de zei şi suscep-
tibil de a deveni prezent prin sărbătoare. Omu-
lui nereligios, această calitate transumană a
timpului liturgic îi este inaccesibilă. Pentru
omul nereligios, Timpul nu poate prezenta nici
ruptură, nici „mister" : el constituie cea mai
profundă dimensiune existenţială, este legat de
însăşi existenţa umană, are deci un început şi
un sfîrşit, care este moartea, stingerea existen-
ţei. În pofida multiplicităţii ritmurilor temporale
pe care le simte şi a intensităţii lor diferite, omul
nereligios ştie că este vorba mereu de o expe-

rienţă umană în care nu se poate insera nici o
prezenţă divină.

Pentru omul religios, durata temporală
profană este, dimpotrivă, susceptibilă de a fi
„oprită" periodic de inserţia, prin intermediul
riturilor, a unui Timp sacru, neistoric (în sen-
sul că nu aparţine prezentului istoric). Aşa cum
o biserică constituie o ruptură de nivel în spa-
ţiul profan al unui oraş modern, serviciul reli-
gios care se desfăşoară în incinta ei marchează
o ruptură în durata temporală profană : nu Tim-
pul istoric actual este prezent, nu timpul trăit,
de exemplu, pe străzile şi în casele vecine, ci
Timpul în care s-a desfăşurat existenţa istorică
a lui Iisus Hristos, Timpul sanctificat prin pro-
povăduirea sa, prin pătimirea sa, prin moartea
şi reînvierea sa. Să precizăm, totuşi, că acest
exemplu nu pune în lumină în totalitate dife-
renţa existentă între Timpul profan şi Timpul
sacru ; faţă de celelalte religii, creştinismul a
reînnoit, într-adevăr, experienţa şi conceptul de
Timp Liturgic, afirmînd istoricitatea persoanei
lui Hristos. Pentru un credincios, liturghia se
desfăşoară într-un *Timp istoric sanctificat prin
întruparea Fiului Domnului*. Timpul sacru,
reactualizat periodic în religiile precreştine (ar-
haice, mai ales), este un *Timp mitic,* un Timp
primordial, neidentificabil cu trecutul istoric,
un *Timp originar,* în sensul că a ţîşnit „dintr-o
dată", că nu era precedat de nici un alt Timp,
pentru că nici un Timp nu putea exista *înain-
tea apariţiei realităţii povestite de mit.*

Ceea ce ne interesează, înainte de toate, este tocmai această concepție arhaică despre Timpul mitic. Vom urmări, în continuare, deosebirile față de iudaism și creștinism.

### Templum — tempus

Să începem prin a enumera cîteva cazuri care au avantajul de a indica de la bun început comportamentul omului religios în privința Timpului. O remarcă este importantă : în mai multe limbi ale populațiilor aborigene din America de Nord, termenul ,,Lume" (Cosmos) este folosit și cu sensul ,,An". Iakuții spun : ,,lumea a trecut" pentru a sugera că ,,s-a scurs un an". Pentru yuki, ,,Anul" este desemnat prin vocabulele ,,Pămînt" sau ,,Lume". Ei spun, ca și iakuții, ,,Pămîntul a trecut" atunci cînd s-a scurs un an. Vocabularul dezvăluie solidaritatea religioasă dintre Lume și Timpul cosmic. Cosmosul este conceput ca o unitate vie care se naște, se dezvoltă și se stinge în ultima zi a Anului, pentru a renaște de Anul Nou. Vom vedea că această *re-naștere* este o *naștere*, Cosmosul renăscînd în fiecare An, pentru că, de fiecare An Nou, Timpul începe *ab initio*.

Solidaritatea cosmico-temporală este de natură religioasă : Cosmosul este omologabil Timpului cosmic (,,Anul") pentru că și unul și celălalt sînt realități sacre, creații divine. La anumite populații nord-americane, această solidaritate cosmico-temporală este revelată de însăși structura edificiilor sacre. Din moment ce Tem-

plul reprezintă imaginea lumii, el conţine şi un
simbolism temporal. Un lucru ce se poate con-
stata, de exemplu, la algonkini şi siuşi. Coliba lor
sacră care, cum am văzut, reprezintă Universul,
simbolizează, în acelaşi timp, Anul, pentru că
Anul este conceput ca o cursă în cele patru di-
recţii cardinale, întruchipate în cele patru fe-
restre şi cele patru uşi ale colibei sacre. Popula-
ţia dakota spune : ,,Anul este un cerc în jurul
lumii", adică în jurul colibei sacre, care este o
*imago mundi*[28].

     În India găsim un exemplu şi mai clar.
Am văzut că înălţarea unui altar echivalează
cu repetarea cosmogoniei. Or, textele adaugă
că ,,altarul focului este Anul" şi explică în acest
sens simbolismul temporal : cele 360 de cără-
mizi de delimitare corespund celor 360 de nopţi
ale anului, iar cele 360 de cărămizi *ya j-usmatĭ*,
celor 360 de zile *(Śatapatha Brāhmana,* X, 5,
IV, 10 ; etc.). Cu alte cuvinte, prin construirea
unui altar al focului, nu numai că se reface Lu-
mea, ci se ,,construieşte Anul", *se regenerează
Timpul, creîndu-l din nou.* Pe de altă parte,
Anul este asimilat cu Prajāpati, zeul cosmic ;
prin urmare, cu fiecare nou altar, Prajāpati este
reînsufleţit, adică este consolidată sanctitatea
Lumii. Nu este vorba despre Timpul profan, de
simpla durată temporală, ci de sanctitatea Tim-
pului cosmic. Prin înălţarea altarului focului
se urmăreşte sanctitatea lumii ; deci inserarea
ei într-un Timp sacru. Un simbolism temporal

---

[28] Werner Müller, *Die blaue Hütte* (Wiesbaden,
1954), p. 133.

analog este cuprins în simbolismul cosmologic al Templului din Ierusalim. Potrivit lui Flavius Josephus *(Ant. Jud.*, III, vii, 7), cele douăsprezece pîini aflate pe masă reprezentau cele douăsprezece luni ale Anului, iar candelabrul cu șaptezeci de brațe reprezenta decanul (adică diviziunea zodiacală de zece zile dintre răsăritul succesiv al celor șapte planete). Templul era o *imago mundi :* găsindu-se în „Centrul Lumii", la Ierusalim, el sanctifica nu numai întreg Cosmosul, ci și „viața" cosmică, adică Timpul.

Herman Usener are meritul de a fi explicat, primul, înrudirea etimologică dintre *templum* și *tempus,*, interpretînd cei doi termeni prin noțiunea de interferență („Schneidung, Kreuzung")[29]. Cercetări ulterioare au confirmat, o dată în plus, această descoperire : „*Templum* desemnează aspectul spațial, *tempus,* aspectul temporal al mișcării orizontului în spațiu și în timp"[30].

Semnificația profundă a tuturor acestor fapte pare a fi următoarea : pentru omul religios al culturilor arhaice *Lumea se reînnoiește anual ;* cu alte cuvinte, *el regăsește în fiecare an nou „sfințenia" originală* care era și a lui cînd a ieșit din mîinile Creatorului. Acest simbolism este indicat cu claritate de structura arhitectonică a sanctuarelor. Pentru că este și locul sfînt prin excelență, și imaginea Lumii, Templul sanctifică întreg Cosmosul și, de asemenea,

---

[29] H. Usener, *Götternamen* (ed. a 2-a, Bonn, 1920), p. 191 și urm.
[30] Werner Müler, *Kreis und Kreuz* (Berlin, 1938), p, 39 ; cf., de asemenea, p. 33 și urm.

viața cosmică. Or, această viață cosmică era imaginată sub forma unei traiectorii circulare, identificîndu-se cu Anul. Anul era un cerc închis : avea un început și un sfîrșit, dar avea și particularitatea că putea să „renască" sub forma unui Nou An. Cu fiecare An Nou începea să existe un Timp „nou", „pur" și „sfînt" — pentru că nu fusese încă folosit.

Timpul renăștea, reîncepea, pentru că, cu fiecare An Nou, Lumea era creată din nou. Am constatat, în capitolul precedent, ce importanță considerabilă are mitul cosmogonic în calitate de model exemplar al oricărui fel de creație și construcție. Să adăugăm faptul că și crearea Timpului este cuprinsă, în egală măsură, în cosmogonie. Ba mai mult : cum cosmogonia este arhetipul oricărei „creații", Timpul cosmic pe care aceasta îl face să țîșnească este modelul exemplar al tuturor celorlalte timpuri, adică al Timpurilor specifice diferitelor categorii de ființe. Să ne explicăm : pentru omul religios al culturilor arhaice orice creație, orice existență începe în Timp : *înainte ca un lucru să existe, timpul lui nu putea să existe.* Înainte de a fi prins viață Cosmosul, nu exista timp cosmic. Înainte de crearea unei specii vegetale oarecare, timpul care o face acum să crească, să dea roade și să piară nu exista. Din acest motiv, orice creație este imaginată ca avînd loc *la începutul Timpului, in principio.* Timpul izbucnește o dată cu prima apariție a unei noi categorii de ființe. De aici, rolul considerabil al mitului : cum vom vedea mai departe, mitul este cel care dezvăluie modul în care o realitate a început să existe.

### Repetarea anuală a cosmogoniei

Mitul cosmogonic povestește cum a început să existe Cosmosul. În Babilon, în cursul ceremoniei *akîtu*, care se desfășura în ultimele zile ale anului și în primele zile ale Noului An, se recita solemn „Poemul Creației", *Enuma Elish*. Prin recitarea rituală se reactualiza lupta dintre Marduk și monstrul marin Tiamat, care avusese loc *ab origine* și pusese capăt Haosului prin victoria finală a zeului. Marduk crease Cosmosul din corpul ciopîrțit al lui Tiamat, iar pe om îl crease din sîngele demonului Kingu, principalul aliat al lui Tiamat. Dovada că această comemorare a Creației era, efectiv, o *reactualizare* a actului cosmogonic ne-o oferă atît ritualurile, cît și formulele rostite în cursul ceremoniei.

Într-adevăr, lupta dintre Tiamat și Marduk era mimată printr-o luptă între două grupuri de figuranți, un ceremonial prezent și la hitiți, tot în cadrul scenariului dramatic al Anului Nou, la egipteni și la ras shamra. Lupta dintre două grupuri de figuranți *repeta trecerea de la Haos la Cosmos*, actualiza cosmogonia. Evenimentul mitic redevenea *prezent*. „Fie ca el să poată continua să-l înfrîngă pe Tiamat și să-i scurteze zilele !" exclama oficiantul. Lupta, victoria și Creația aveau loc *în chiar acea clipă, hic et nunc*.

Din moment ce Anul Nou este o reactualizare a cosmogoniei, el implică *reluarea Timpului de la început*, adică restaurarea timpului primordial, a Timpului „pur", cel care exista în momentul Creaţiei. Din acest motiv, cu ocazia Anului Nou, se purcede la „purificări" şi la izgonirea păcatelor, a demonilor sau doar a unui ţap ispăşitor. Căci nu este vorba numai despre încetarea efectivă a unui anumit interval temporal şi de începutul unui alt interval (cum îşi imaginează, de exemplu, un om modern), ci şi despre abolirea anului trecut şi a timpului scurs. Acesta este, de altfel, sensul purificărilor rituale : o *ardere*, o anulare a păcatelor şi a greşelilor individului şi ale comunităţii în ansamblu, nu doar o simplă „purificare".

Naurōz-ul, — Anul Nou persan — comemorează ziua cînd a avut loc Crearea Lumii şi a omului. În ziua de Naurōz se producea „reînnoirea Creaţiei", după cum afirma istoricul arab Albîruni. Regele declara : „Iată o nouă zi a unei noi luni a unui nou an : trebuie să reînnoim ceea ce timpul a învechit". Timpul uzase fiinţa umană, societatea, Cosmosul, iar acest Timp distrugător era Timpul profan, durata propriu-zisă : el trebuia abolit, pentru a te reintegra în momentul mitic cînd lumea începuse să existe, scăldîndu-se într-un Timp „pur", „puternic" şi sacru. Abolirea timpului profan scurs se producea prin intermediul riturilor ce semnificau un fel de „sfîrşit al lumii". Stingerea focurilor, întoarcerea sufletelor morţilor, neorînduiala socială de tipul Saturnaliilor, corupţia erotică, orgiile etc. simbolizau regresia Cosmosului în Haos. În ultima zi a anului, Universul se dizolva în Apele primordiale. Monstrul marin Tiamat, simbol al tenebrelor, al amor-

fului, al nonmanifestatului reînvia şi devenea
ameninţător. Lumea care existase în timpul unui
an întreg dispărea *cu adevărat*. De vreme ce
Tiamat era din nou prezent, Cosmosul era anu-
lat, iar Marduk era obligat să-l creeze încă o
dată, după o nouă înfrîngere a lui Tiamat [31].

Semnificaţia acestei regresii periodice
a lumii într-o modalitate haotică era următoa-
rea : toate ,,păcatele" anului, tot ceea ce Timpul
murdărise şi uzase era distrus, în sensul fizic
al termenului. Participînd în mod simbolic la
distrugerea şi la re-crearea Lumii, omul era şi
el creat din nou ; el renăştea, pentru că înce-
pea o existenţă nouă. Cu fiecare An Nou, omul
se simţea mai liber şi mai pur, deoarece se
eliberase de povara greşelilor şi a păcatelor.
Se reintegra în Timpul fabulos al Creaţiei, deci
un Timp sacru şi ,,puternic" ; sacru, pentru
că fusese transfigurat de prezenţa zeilor ; ,,pu-
ternic", pentru că era Timpul propriu şi exclusiv
al celei mai uriaşe creaţii săvîrşite vreodată :
aceea a Universului. Omul redevenea, simbo-
lic, contemporan cu cosmogonia, asista la crea-
rea Lumii. În Orientul Apropiat antic, el parti-
cipa chiar, în mod activ, la această creaţie (cf.
cele două grupuri antagoniste reprezentîndu-i
pe Zeu şi pe Monstrul marin).

Este uşor de înţeles de ce amintirea
acestui Timp prestigios îl obseda pe omul reli-
gios, de ce se străduia el să-l regăsească pe-
riodic : *in illo tempore,* zeii se vădiseră la apo-
geul puterii lor. *Cosmogonia este suprema*

---

[31] Pentru ritualurile Anului Nou, cf. M. Eliade, *Le
Mythe de l'Eternel Retour*, p. 89 şi urm.

*manifestare divină*, gestul exemplar de forţă, supraabundenţă şi creativitate. Omul religios este însetat de real. Prin toate mijloacele sale, el se străduieşte să se instaleze la izvorul realităţii primordiale, cînd lumea era *in statu nascendi*.

### Regenerare prin întoarcerea la Timpul originar

Toate acestea merită să fie discutate mai pe larg, dar, pentru moment, două elemente trebuie să ne reţină atenţia : 1) prin repetarea anuală a cosmogoniei, Timpul era regenerat, reîncepea ca Timp sacru, deoarece coincidea cu *illud tempus*, cînd Lumea începuse pentru prima dată să existe ; 2) prin participarea rituală la ,,sfîrşitul Lumii" şi la ,,re-crearea ei", omul devenea contemporan cu *illud tempus ;* se năştea deci din nou, îşi începea existenţa, aşa cum fusese în momentul naşterii, cu o rezervă *intactă* de forţe vitale.

Aceste fapte sînt importante, pentru că ne dezvăluie secretul comportamentului omului religios în legătură cu Timpul. Deoarece Timpul sacru şi puternic este *Timpul originii*, momentul prodigios în care s-a creat o realitate, în care ea s-a manifestat din plin pentru întîia oară, omul se va strădui să regăsească periodic acest Timp originar. Reactualizarea rituală a lui *illud tempus,* a primei epifanii a unei realităţi stă la baza tuturor calendarelor sacre : sărbătoarea nu este ,,comemorarea" unui eveniment mitic (și religios, prin urmare), ci *reactualizarea* lui.

Timpul *originii* prin excelență este Timpul cosmogoniei, momentul cînd a apărut realitatea cea mai vastă, Lumea. Din acest motiv, așa cum am văzut în capitolul precedent, cosmogonia servește drept model exemplar oricărei „creații", oricărei „faceri". Din același motiv, *Timpul cosmogonic* servește drept model tuturor *Timpurilor sacre* : dacă Timpul sacru este cel în care s-au manifestat și au creat zeii, este evident că cea mai completă manifestare divină și cea mai uriașă creație este Crearea Lumii.

Omul religios reactualizează deci cosmogonia, nu numai de fiecare dată cînd „creează" ceva („lumea lui" — teritoriul locuit — ori o cetate, o casă etc.), ci și atunci cînd vrea să asigure o domnie fericită unui nou suveran sau atunci cînd trebuie să salveze recoltele compromise sau să poarte cu succes un război, cînd este vorba despre o expediție maritimă etc. Dar, mai ales, recitarea rituală a mitului cosmogonic joacă un rol important în vindecări, cînd se urmărește *regenerarea* ființei umane. În Fidji, ceremonialul instalării unui nou suveran este numit „Crearea Lumii" și tot el este repetat pentru a salva recoltele compromise. În Polinezia se întîlnește, poate, cea mai largă aplicare rituală a mitului cosmogonic. Cuvintele pe care Io le pronunțase *in illo tempore* pentru a crea Lumea au devenit formule rituale. Oamenii le repetă în multe ocazii : pentru a fecunda un pîntece steril, pentru a vindeca (atît bolile trupului, cît şi pe cele ale spiritului), pentru a se pregăti de război, dar şi pentru momentul morţii sau pentru a stimula inspiraţia poetică[32].

Pentru polinezieni, mitul cosmogonic este şi modelul arhetipal al oricărei „creaţii", indiferent de planul pe care ea se desfăşoară : biologic, psihologic, spiritual. Dar, cum recitarea rituală a mitului cosmogonic implică reactualizarea acestui eveniment primordial, rezultă că cel pentru care se recită este proiectat, în mod magic, „la începutul Lumii", devenind contemporan cu cosmogonia. Este, pentru el, o întoarcere la Timpul originii, întoarcere al cărei scop terapeutic este acela de a începe încă o dată existenţa, de a se naşte, simbolic, din nou. Concepţia subiacentă acestor rituri de vindecare pare a fi următoarea : Viaţa nu poate fi reparată, ci doar re-creată prin repetarea simbolică a cosmogoniei, care este modelul exemplar al oricărei creaţii.

Funcţia regeneratoare a întoarcerii la Timpul originii poate fi şi mai bine înţeleasă dacă se examinează mai îndeaproape terapeutica arhaică, precum aceea a populaţiei tibetano-birmane na-khi, care trăieşte în sud-vestul Chinei (provincia Yunnan). Ritualul vindecării constă, la drept vorbind, în recitarea solemnă a mitului Creării Lumii, urmat de miturile originii maladiilor (provocate de mînia Şerpilor) şi de apariţia primului şaman-tămăduitor care

---

[32] Cf. referinţele bibliografice în Eliade, *Traité d'histoire des religions*, p. 351 şi urm. ; *Aspects du Mythe* (Gallimard, 1963), p. 44 şi urm.

le-a adus oamenilor leacurile necesare. Mai toate ritualurile evocă *începutul,* Timpul mitic în care Lumea nu exista încă : „La început, în vremea cînd cerurile, soarele, luna, aştrii, planetele şi pămîntul nu apăruseră încă, atunci cînd nimic nu apăruse încă" etc. Urmează cosmogonia şi apariţia Şerpilor : „În vremea cînd a apărut cerul, s-au răspîndit soarele, luna, aştrii şi planetele, şi pămîntul, cînd au apărut munţii, văile, copacii şi stîncile, în acel moment au apărut naga şi dragonii" etc. Se povesteşte apoi naşterea primului tămăduitor şi apariţia leacurilor şi se adaugă : „Trebuie povestită originea leacului, altfel nu se poate vorbi de el"[33].

Important de subliniat în legătură cu aceste cîntece magice cu scopuri medicale este faptul că *mitul originii leacurilor* este întotdeauna cuprins în *mitul cosmogonic.* În terapeuticile primitive şi tradiţionale, un leac nu devine eficace decît atunci cînd se reaminteşte, ritual, în faţa bolnavului, originea lui. Un mare număr de incantaţii din Orientul Apropiat şi din Europa includ istoria bolii sau a demonului care a provocat-o şi evocă momentul mitic în care o divinitate sau un sfînt au reuşit să supună răul[34]. Eficacitatea terapeutică a incantaţiei rezidă în faptul că, rostită ritual, ea reactualizează Timpul mitic al „originii", atît originea Lumii, cît şi originea bolii şi a tratamentului.

---

[33] J. F. Rock, *The Na-khi Nâga Cult and Related Ceremonies* (Rome, 1952), vol. I, p. 103, 197, 279 şi urm.
[34] Cf. *Le Mythe de l'Eternel Retour,* p. 126 şi urm. ; *Aspects du Mythe,* p. 42—43.

### Timpul „festiv" şi structura sărbătorilor

*Timpul originii* unei realităţi, adică timpul fundat prin prima ei apariţie, are o valoare şi o funcţie exemplară ; din acest motiv, omul se străduieşte să-l reactualizeze periodic prin intermediul unor ritualuri adecvate. „Prima manifestare" a unei realităţi echivalează însă cu *crearea* ei de către fiinţe semidivine : a regăsi *Timpul originii* implică, prin urmare, repetarea rituală a actului creator al zeilor. Reactualizarea periodică a actelor creatoare efectuate de către Fiinţele divine *in illo tempore* constituie calendarul sacru, ansamblul sărbătorilor. O sărbătoare se desfăşoară întotdeauna în Timpul originar. Reintegrarea în acest Timp originar diferenţiază comportamentul uman *din timpul* sărbătorii de cel *dinaintea* ei sau *de după* ea. În multe cazuri, în timpul sărbătorii se repetă aceleaşi acte ca în intervalele nefestive, dar omul religios crede că trăieşte atunci într-un *alt* Timp, că a reuşit să regăsească miticul *illud tempus*.

În timpul ceremoniilor totemice anuale de tipul *intichiuma*, australienii ~~arunta~~ reiau itinerarul urmat de Strămoşul mitic al clanului în epoca *altcheringa* (literal, „Timp al visului"). Ei se opresc în nenumăratele locuri în care s-a oprit Strămoşul şi repetă aceleaşi gesturi pe care le-a făcut acesta *in illo tempore*. Pe toată durata ceremoniei ei postesc, nu poartă arme şi se feresc de orice contact cu femeile sau cu membrii celorlalte clanuri. Sînt deci cufundaţi în întregime în „Timpul visului"[35].

Sărbătorile anuale din insula polineziană Tikopia reproduc „operele zeilor", actele prin care, în Timpurile mitice, zeii au făurit Lumea, aşa cum se înfăţişează ea astăzi [36]. Timpul „festiv" în care se trăieşte pe durata ceremoniilor este caracterizat prin anumite interdicţii (tabu) : fără gălăgie, fără jocuri, fără dansuri. Trecerea de la Timpul profan la Timpul sacru este indicată de tăierea rituală a unei bucăţi de lemn în două. Numeroasele ceremonii care marchează sărbătorile periodice şi care, repetăm, nu sînt decît reiterarea gesturilor exemplare ale zeilor, nu se deosebesc, *în aparenţă*, de activităţile normale : repararea rituală a bărcilor, rituri legate de cultivarea plantelor alimentare (yam, taro, etc.), renovarea sanctuarelor. În realitate, însă, toate aceste activităţi solemne se deosebesc de aceleaşi lucrări executate în timpul obişnuit prin faptul că vizează doar *cîteva obiecte* ce constituie, într-o oarecare măsură, arhetipurile claselor respective şi, de asemenea, prin faptul că ceremoniile se desfăşoară într-o atmosferă îmbibată de sacru. Într-adevăr, indigenii sînt conştienţi că reproduc în cele mai mici detalii actele exemplare ale zeilor, aşa cum le-au făptuit aceştia *in illo tempore*.

Astfel, omul religios devine periodic contemporanul zeilor, în măsura în care reac-

---

[35] F. J. Gillen, *The Native Tribes of Central Australia* (ed. a 2-a, Londra, 1938), p. 170 şi urm.
[36] Cf. Raymond Firth, *The Work of Gods in Tikopia*, I (Londra, 1940).

tualizează Timpul primordial în care s-au să-
vîrşit operele divine. La nivelul civilizaţiilor
„primitive", tot ceea ce face omul are un model
transuman ; chiar în afara Timpului „festiv"
gesturile umane imită modelele exemplare fi-
xate de zeii şi Strămoşii mitici. Imitarea riscă,
însă, să devină tot mai puţin corectă ; modelul
riscă să fie denaturat sau chiar uitat. Rolul
reactualizărilor periodice ale gestelor divine,
al sărbătorilor religioase este acela de a-i reîn-
văţa pe oameni sacralitatea modelelor. Repa-
rarea rituală a bărcilor sau cultivarea rituală
a yamului nu mai seamănă cu operaţiile simi-
lare efectuate în afara intervalelor sacre. Ele
sînt mai exacte, mai apropiate de modelele di-
vine şi, pe de altă parte, sînt *rituale* : intenţia
lor este religioasă. O barcă este reparată în
mod solemn, nu pentru că are nevoie de re-
paraţii, ci pentru că, în epoca mitică, zeii le-au
arătat oamenilor cum se repară bărcile. Nu
mai este o operaţie empirică, ci un act religios,
o *imitatio dei*. Obiectul reparaţiei nu mai este
unul dintre nenumăratele obiecte ce constituie
clasa „bărcilor", ci un arhetip mitic : *este în-
săşi barca pe care au folosit-o zeii „in illo tem-
pore"*. Prin urmare, Timpul în care se efectu-
ează repararea rituală a bărcilor se identifică
din nou cu Timpul primordial : este chiar
timpul în care lucrau zeii.

De bună seamă, nu toate tipurile de
sărbători periodice pot fi reduse la exemplul
pe care tocmai l-am examinat. Dar nu morfo-
logia sărbătorii ne interesează, ci structura

Timpului sacru actualizat prin sărbători. Or, despre Timpul sacru se poate spune că este mereu același, că este „o succesiune de eternități" (Hubert și Mauss). Oricît de complexă ar fi o sărbătoare religioasă, este vorba întotdeauna despre un eveniment sacru care a avut loc *ab origine* și care devine prezent în mod ritual. Participanții devin contemporanii evenimentului mitic. Cu alte cuvinte, ei „ies" din timpul lor istoric — adică din Timpul constituit de totalitatea evenimentelor profane, personale și interpersonale — și regăsesc Timpul primordial, care este mereu același, care aparține Eternității. Omul religios se scaldă periodic în Timpul mitic și sacru, regăsește *Timpul originii,* cel care „nu curge", deoarece nu ține de durata temporală profană, constînd într-un *prezent etern,* recuperabil la nesfîrșit.

Omul religios simte nevoia să se cufunde periodic în acest Timp sacru și indestructibil. Pentru el, Timpul sacru face posibil celălalt timp, timpul obișnuit, durata profană în care se desfășoară orice existență omenească. *Eternul prezent* al evenimentului mitic face posibilă *durata* profană a evenimentelor istorice. Să dăm un singur exemplu : hierogamia divină a avut loc *in illo tempore* și a făcut posibilă unirea sexuală umană. Unirea dintre zeu și zeiță se petrece într-un moment atemporal, într-un etern prezent ; unirile sexuale dintre oameni, atunci cînd nu sînt rituale, se desfășoară în durată, în Timpul profan. Timpul sacru, mitic, fundează și Timpul existențial, istoric, deoarece este modelul lui exemplar. Într-un cuvînt,

datorită fiinţelor divine sau semidivine a în-
ceput să existe totul. „Originea" realităţilor şi
a Vieţii însăşi este religioasă. Yamul poate fi cul-
tivat şi consumat „în mod obişnuit" pentru că
este cultivat şi consumat, periodic, în mod ri-
tual. Iar aceste ritualuri pot fi săvîrşite deoarece
zeii le-au revelat *in illo tempore*, creîndu-l pe
om, creînd yamul şi arătîndu-le oamenilor cum
trebuie cultivată şi consumată această Plantă.

În sărbătoare se regăseşte din plin
dimensiunea sacră a Vieţii, se vădeşte sfinţe-
nia existenţei umane, care este o creaţie divină.
În restul timpului, rişti mereu să uiţi ceea ce
este fundamental : că existenţa nu este „dată"
de ceea ce modernii numesc „Natură", ci
este o creaţie a *Celorlalţi*, a zeilor sau a Fiin-
ţelor semidivine. Sărbătorile sacre restituie,
dimpotrivă, dimensiunea sacră a existenţei, re-
amintind felul cum zeii sau strămoşii mitici
au creat omul şi l-au învăţat diversele comport-
amente sociale şi munci practice.

Dintr-un anumit punct de vedere,
această „ieşire" periodică din Timpul istoric
şi mai ales consecinţele pe care ea le are pen-
tru existenţa globală a omului religios poate să
apară ca un refuz al libertăţii creatoare. Este
vorba, în esenţă, de o eternă întoarcere *in illo
tempore*, într-un trecut care este „mitic" şi nu
are nimic istoric. S-ar putea trage concluzia că
această veşnică repetare a gesturilor exem-
plare revelate de zei *ab origine* se opune pro-
gresului uman şi paralizează spontaneitatea
creatoare. Această concluzie este, parţial, jus-

tificată. Parţial doar, deoarece omul religios,
chiar şi cel mai „primitiv", nu refuză, în prin-
cipiu, „progresul" : el îl acceptă, conferindu-i
însă o origine şi o dimensiune divină. Tot ceea
ce, din perspectiva modernă, ni se pare că a
marcat „progrese" (indiferent de ce natură :
socială, culturală, tehnică etc.) faţă de o situa-
ţie anterioară, totul a fost asumat de diferitele
societăţi primitive, în cursul lungii lor istorii,
ca tot atîtea noi revelaţii divine. Pentru mo-
ment, vom lăsa la o parte acest aspect al pro-
blemei. Important este să înţelegem semnifi-
caţia religioasă a acestei repetări a gesturilor
divine. Or, pare evident că, dacă omul religios
simte nevoia să reproducă la nesfîrşit aceleaşi
gesturi exemplare, *aceasta se întîmplă pentru
că doreşte şi se străduieşte să trăiască foarte
aproape de zeii săi.*


## A deveni, periodic, contemporan cu zeii

Studiind, în capitolul precedent, sim-
bolismul cosmologic al oraşelor, templelor şi
caselor, am arătat că acesta este solidar cu ideea
unui „Centru al Lumii". Experienţa religioasă
implicată în simbolismul Centrului pare a fi
următoarea : omul doreşte să se situeze într-un
spaţiu „deschis spre înalt", în comunicare cu
lumea divină. A trăi aproape de un „Centru al
Lumii" echivalează, în esenţă, cu a trăi cît mai
aproape posibil de zei.
     Aceeaşi dorinţă de apropiere de zei o
descoperim analizînd semnificaţia sărbătorilor

religioase. Reintegrarea în Timpul sacru al originii înseamnă a deveni „contemporanul zeilor", deci a trăi în prezenţa lor, chiar dacă această prezenţă este misterioasă, în sensul că nu este întotdeauna vizibilă. Intenţionalitatea descifrată în experienţa Spaţiului şi a Timpului sacru dovedeşte dorinţa de reintegrare într-o situaţie primordială : aceea în care zeii şi Strămoşii mitici erau *prezenţi*, erau pe cale de a crea Lumea, sau de a o organiza, sau de a le dezvălui oamenilor fundamentele civilizaţiei. Această „situaţie primordială" nu este de ordin istoric, ea nu este calculabilă cronologic ; este vorba despre o anterioritate mitică, despre Timpul „originii", despre ceea ce s-a petrecut „la început", *in principio*.

Or, „la început" se petrecea următorul lucru : Fiinţele divine sau semidivine îşi desfăşurau activitatea pe Pămînt. Nostalgia „originilor" este deci o nostalgie religioasă. Omul doreşte să regăsească prezenţa activă a zeilor ; el doreşte, de asemenea, să trăiască în Lumea proaspătă, pură şi „puternică", aşa cum ieşise ea din mîinile Creatorului. Nostalgia *perfecţiunii începuturilor* este cea care explică, în mare parte, întoarcerea periodică *in illo tempore*. În termeni creştini, s-ar putea spune că este vorba despre o „nostalgie a Paradisului", cu toate că, la nivelul culturilor primitive, contextul religios şi ideologic este cu totul altul decît în iudeo-creştinism. Timpul mitic pe care ne străduim să-l reactualizăm periodic este însă un timp sanctificat de prezenţa divină și se poate spune că dorința de a trăi în *pre-zența divină* și într-o *lume perfectă* (deoarece tocmai s-a născut) corespunde nostalgiei unei situații paradiziace.

Cum am remarcat mai sus, această do-rință a omului religios de a reveni periodic *înapoi, în urmă,* efortul său de a se reintegra într-o situație mitică, cea de *la început,* poate părea insuportabil și umilitor pentru un mo-dern. O asemenea nostalgie conduce, în mod fatal, la continua repetare a unui număr limi-tat de gesturi și comportamente. Se poate spune chiar că, pînă la un anumit punct, omul reli-gios, îndeosebi cel al societăților ,,primitive", este, prin excelență, un om paralizat de mitul eternei întoarceri. Psihologul modern ar fi ten-tat să descifreze într-un asemenea comporta-ment neliniștea în fața riscului noutății, refuzul de a-ți asuma responsabilitatea unei existențe autentice și istorice, nostalgia unei situații ,,pa-radiziace", tocmai fiindcă este embrionară, in-suficient degajată din Natură.

Problema este prea complexă pentru a fi abordată aici. Ea depășește, de altfel, in-tenția noastră, deoarece implică problema opo-ziției dintre omul modern și cel premodern. Să notăm totuși că ar fi o eroare să credem că omul religios al societăților arhaice și primitive refuză să-și asume responsabilitatea unei exis-tențe autentice. Dimpotrivă, așa cum s-a vă-zut, și asupra acestui punct vom reveni, el își asumă, cu curaj, responsabilități enorme : de exemplu, pe aceea de a colabora la crearea Cosmosului, de a-și crea propria lume, de a asigura viața plantelor și a animalelor etc. Este însă vorba despre alte responsabilități decît cele care nouă ni se par singurele autentice și valabile. Este vorba despre *o responsabilitate pe plan cosmic*, spre deosebire de responsabilitățile de ordin moral, social sau istoric, singurele cunoscute de civilizațiile moderne. Din perspectiva existenței profane, omul nu-și recunoaște responsabilități decît față de sine și față de societate. Pentru el, Universul nu constituie, la drept vorbind, un Cosmos, o unitate vie și articulată, ci, pur și simplu, totalitatea rezervelor materiale și a energiilor fizice ale planetei. Marea preocupare a omului modern este aceea de a nu epuiza din stîngăcie resursele economice ale globului. Or, existențial, „primitivul" se situează întotdeauna într-un context cosmic. Experiența lui personală nu este lipsită nici de autenticitate, nici de profunzime, dar, exprimîndu-se într-un limbaj care nu ne este familiar, ea apare, în ochii modernilor, ca neautentică și copilărească.

Să revenim însă la scopul nostru imediat : nu sîntem îndreptățiți să interpretăm întoarcerea periodică la Timpul sacru al originii ca respingere a lumii reale și evaziune în vis și imaginar. Dimpotrivă, și în acest caz iese la iveală *obsesia ontologică*, această caracteristică esențială a omului societăților primitive și arhaice : în esență, a dori să te reintegrezi în *Timpul originii* înseamnă a dori să regăsești *prezența zeilor* și *Lumea puternică și pură*, așa

cum era ea *in illo tempore*. Este o sete de *sacru*
și, în același timp, o nostalgie a *Ființei*. Pe
plan existențial, această experiență se exprimă
prin certitudinea că poți reîncepe, periodic,
viața, cu maximum de „șanse". Este, într-ade-
văr, nu numai o viziune optimistă asupra
existenței, ci și o aderare totală la Ființă. Prin
tot comportamentul său, omul religios declară
că nu crede decît în Ființă, că participarea la
Ființă îi este garantată de revelația primor-
dială, al cărei păzitor este. Suma revelațiilor
primordiale este constituită de mituri.

### Mit = Model exemplar

Mitul povestește o istorie sacră, adică
un eveniment primordial, care a avut loc la
începutul Timpului, *ab initio* [37]. A povesti o is-
torie sacră echivalează însă cu revelarea unui
mister, deoarece personajele mitului nu sînt
ființe umane : sînt zei sau Eroi civilizatori, și
din acest motiv *gestele* lor constituie mistere :
omul nu le-ar fi putut cunoaște dacă nu i-ar
fi fost revelate. Mitul este deci istoria a ceea
ce s-a petrecut *in illo tempore*, povestirea a
ceea ce zeii sau ființele divine au făcut la în-
ceputul Timpului. „A spune" un mit înseamnă
a declara ceea ce s-a petrecut *ab origine*. Odată
„spus", adică revelat, mitul devine adevăr apo-
dictic : el întemeiază adevărul absolut. „Este

---

[37] În paginile care urmează reluăm lungi pasaje
din cărțile noastre *Le Mythe de l'Eternel Retour* și *Aspects
du Mythe*.

aşa pentru că se spune că este aşa", declară eschimoşii netsilik, pentru a justifica validitatea istoriei lor sacre şi a tradiţiilor lor religioase. Mitul proclamă apariţia unei noi ,,situaţii" cosmice sau a unui eveniment primordial. El este deci, mereu, povestea unei ,,creaţii" : se povesteşte cum s-a săvîrşit ceva, cum a început *să fie*. Iată de ce mitul este solidar cu ontologia ; el nu vorbeşte decît despre *realităţi*, despre ceea ce s-a întîmplat *cu adevărat*, de ceea ce s-a manifestat pe de-a-ntregul.

Este vorba, evident, despre realităţi sacre, deoarece *sacrul* este *realul* prin excelenţă. Nimic din ceea ce ţine de sfera profanului nu participă la Fiinţă, deoarece profanul n-a fost întemeiat ontologic de mit, nu are un model exemplar. Cum vom vedea în continuare, munca agricolă este un rit revelat de zei sau de Eroii civilizatori. Ea constituie astfel un act *real* şi *semnificativ* în acelaşi timp. Să-l comparăm cu munca agricolă într-o societate desacralizată : ea a devenit aici un act profan, justificat doar de profitul economic. Pămîntul este lucrat pentru a fi exploatat, se urmăreşte obţinerea hranei şi cîştigul. Golită de simbolismul religios, munca agricolă devine şi ,,opacă", şi extenuantă : ea nu-şi dezvăluie nici o semnificaţie, nu permite nici o ,,deschidere" către universal, către lumea spiritului.

Nici un zeu, nici un Erou civilizator n-a revelat vreodată un act profan. Tot ce-au făcut zeii sau Strămoşii, deci tot ce povestesc miturile despre activitatea lor creatoare aparţine sferei sacrului şi, prin urmare, participă la *Fiinţă*.

Ceea ce fac oamenii din proprie inițiativă, fără un model mitic, aparține, dimpotrivă, sferei profanului : este, astfel, o activitate vană și iluzorie, în cele din urmă ireală. Cu cît omul este mai religios, cu atît dispune de mai multe modele exemplare pentru comportamentul și acțiunile sale. Sau încă, cu cît este mai religios, cu atît se inserează mai puternic în *real* și riscă mai puțin să se piardă în acțiuni neexemplare, subiective și, în esență, aberante.

Există un aspect al mitului care merită să fie subliniat în mod deosebit : mitul dezvăluie sacralitatea absolută deoarece povestește activitatea creatoare a zeilor, sacralitatea operei lor. Cu alte cuvinte, mitul descrie diferitele și uneori dramaticele irupții ale sacrului în lume. Din această cauză, la mulți primitivi miturile nu pot fi recitate oriunde și oricînd, ci doar pe durata anotimpurilor mai bogate în rituri (toamna, iarna) sau în intervalul ceremoniilor religioase, într-un cuvînt, într-un *interval de timp sacru*. Irupția sacrului în lume, povestită de mit, *întemeiază* cu adevărat lumea. Fiecare mit arată cum a început să existe o realitate, fie ea o realitate totală, Cosmosul, sau doar un fragment : o insulă, o specie vegetală, o instituție umană. Narînd cum au început să existe lucrurile, ele sînt explicate și se răspunde indirect la o altă întrebare : *de ce* au început ele să existe. Acest „de ce" este mereu parțial conținut în „cum" și aceasta pentru simplul motiv că, povestind *cum* s-a născut un lucru, se dezvăluie iruperea sacrului în Lume, cauză ultimă a oricărei existențe reale.

Pe de altă parte, orice creație fiind o operă divină, deci irupere a sacrului, ea reprezintă în aceeași măsură o irupere de energie creatoare în Lume. Orice creație debordează de plenitudine. Zeii creează dintr-un exces de putere, prin revărsare de energie. Creația se face dintr-un surplus de substanță ontologică. Din acest motiv, mitul care povestește ontofania sacră, manifestarea victorioasă a unei plenitudini a ființei, devine modelul exemplar al tuturor activităților umane : el este singurul în măsură să dezvăluie *realul*, supraabundența, eficiența. „Trebuie să facem ce-au făcut zeii la început", spune un text indian (*Śatapatha Brahmāna*, VII, 2, I, 4). „Așa au făcut zeii, așa fac oamenii", adaugă *Taittīrya Brahmāna* (1, 5, IX, 4). Funcția de bază a mitului este deci aceea de „a fixa" modelele exemplare ale tuturor riturilor și ale tuturor activităților umane semnificative : alimentație, sexualitate, muncă, educație etc. Comportîndu-se ca ființă umană pe deplin responsabilă, omul imită gesturile exemplare ale zeilor, repetă acțiunile lor, fie că este vorba de o simplă funcție fiziologică, precum alimentația, sau de o activitate socială, economică, culturală, militară etc.

În Noua Guinee, numeroase mituri vorbesc despre lungi călătorii pe mare, oferind astfel „modèle navigatorilor actuali", dar și modèle pentru toate celelalte activități, „fie că este vorba despre dragoste, război, pescuit, producerea ploii sau orice altceva... Povestea oferă precedente pentru diferitele momente ale construirii unei bărci, pentru tabuurile sexuale pe care aceasta le implică etc." Căpitanul care ia drumul mării îl personifică pe eroul mitic Aori. „El poartă costumul pe care, potrivit mitului, îl purta Aori ; are, ca și acesta, fața înnegrită și în păr un *love* asemănător celui pe care Aori l-a luat de pe capul lui Iviri. Dansează pe platformă și își desface brațele întocmai cum Aori își desfăcea aripile... Un pescar mi-a spus că atunci cînd mergea să tragă în pești (cu arcul său), se da drept Kivavia însuși. El nu implora favorurile și ajutorul acestui erou mitic, ci se identifica cu el" [38].

Acest simbolism al precedentelor mitice îl regăsim și în alte culturi primitive. J.P. Harrington scrie, în legătură cu triburile karuk din California : „Tot ce făceau cei din triburile karuk nu era săvîrșit decît pentru că ikxareyavii, se credea, dăduseră exemplul în timpurile mitice. Acești ikxareyavi erau locuitorii Americii înainte de sosirea indienilor. Populația karuk modernă, neștiind cum să redea acest cuvînt, propune traduceri ca «prinții», «șefii», «îngerii»... Nu rămăseseră cu ei decît atît cît era necesar pentru a-i ajuta să cunoască și să pună în aplicare toate obiceiurile, spunîndu-le, de fiecare dată, karuk-ilor : «Iată cum ar face oamenii». Actele și cuvintele lor sînt și astăzi repetate și citate în formulele magice ale populației karuk" [39].

Repetarea aceasta fidelă a modelelor divine are un dublu rezultat : 1) pe de o parte,

---

[38] F. E. Williams, citat de Lucien Lévy-Bruhl, *La Mythologie Primitive* (Paris, 1935), p. 162—164.
[39] J. P. Harrington, citat de Lévy-Bruhl, *Ibid.*, p. 165.

imitînd zeii, omul se menţine în sacru şi, prin urmare, în realitate ; 2) pe de altă parte, datorită reactualizării neîntrerupte a gesturilor divine exemplare, lumea este sanctificată. Comportamentul religios al oamenilor contribuie la menţinerea sanctităţii lumii.

### Reactualizarea miturilor

Nu este lipsit de interes să remarcăm faptul că omul religios îşi asumă o umanitate ce are un model transuman, transcendent. El nu se recunoaşte ca *om adevărat* decît în măsura în care-i imită pe zei, pe Eroii civilizatori sau pe Strămoşii mitici. Pe scurt, omul religios se vrea *altul* decît cel care se consideră a fi în planul experienţei profane. Omul religios nu este *dat* : el *se face* pe sine însuşi, apropiindu-se de modelele divine. Aceste modele, după cum am spus, sînt păstrate în mituri, în istoria *gestelor* divine. Prin urmare, omul religios, la rîndul său, se consideră *făcut* de istorie, la fel ca omul profan ; singura Istorie care-l interesează este, însă, *Istoria sacră* revelată de mituri, aceea a zeilor ; în schimb, omul profan se vrea constituit doar de Istoria umană, deci tocmai de această totalitate a actelor care, pentru omul religios, nu prezintă nici un interes, deoarece îi lipsesc modelele divine. Trebuie să subliniem următorul fapt : încă de la început, omul religios îşi situează propriul model pe planul transuman, cel revelat de mituri. *Nu devii om ade-*

*vărat decît conformîndu-te învăţăturii miturilor, imitînd zeii.*

Să mai adăugăm că o asemenea *imitatio dei* implică uneori, pentru primitivi, o foarte gravă responsabilitate. Am văzut că anumite sacrificii sîngeroase îşi găsesc justificarea într-un act divin primordial : *in illo tempore,* zeul a ucis monstrul marin şi i-a ciopîrţit trupul pentru a crea Cosmosul. Omul repetă acest sacrificiu sîngeros, în unele cazuri chiar un sacrificiu uman, atunci cînd trebuie să construiască un sat, un templu sau doar o casă. Consecinţele posibile ale *imitatio dei* rezultă destul de clar din mitologiile şi ritualurile numeroaselor popoare primitive. Să dăm un singur exemplu : potrivit miturilor paleocultivatorilor, omul a devenit ceea ce este azi — muritor, sexualizat şi condamnat la muncă — în urma unui omor primordial : înaintea epocii mitice, o Fiinţă divină, destul de frecvent o femeie sau o tînără, uneori un copil sau un bărbat, s-a lăsat sacrificată pentru ca, din trupul ei, să poată creşte turberculi sau pomi fructiferi. Acest prim asasinat a schimbat radical existenţa umană. Jertfa Fiinţei divine a inaugurat atît necesitatea alimentaţiei, cît şi fatalitatea morţii şi, în consecinţă, sexualitatea, singurul mijloc de a asigura continuitatea vieţii. Trupul divinităţii jertfite s-a transformat în hrană ; sufletul ei a coborît sub pămînt, unde a întemeiat Tărîmul Morţilor. Ad. E. Jensen, care a consacrat acestui tip de divinităţi, pe care le numeşte divinităţi *dema,* un studiu important, a arătat foarte bine că, hrănindu-se sau murind, omul participă la existența acestor *dema*[40].

Pentru toate aceste popoare paleocultivatoare, esențialul constă în evocarea periodică a evenimentului primordial care a fundat actuala condiție umană. Întreaga lor viață religioasă este o comemorare, o rememorare. Amintirea reactualizată prin rituri (repetarea omorului primordial) joacă un rol decisiv : nu trebuie uitat ce s-a întîmplat *in illo tempore*. Adevăratul păcat este uitarea : tînăra care, cu ocazia primei sale menstruații, stă trei zile într-o colibă întunecoasă, fără să vorbească nimănui, se comportă astfel pentru că fiica mitică asasinată, transformată în Lună, a rămas trei zile în întuneric ; dacă tînăra cateamenială încalcă tabuul tăcerii și vorbește, se face vinovată de uitarea unui eveniment primordial. Memoria personală nu intră în joc : importantă este rememorarea evenimentului mitic, singurul demn de interes, pentru că este singurul cu rol creator. Mitului primordial i se datorește păstrarea adevăratei istorii, a istoriei condiției umane : în el trebuie căutate și regăsite principiile și paradigmele oricărei conduite.

Acestui stadiu de cultură îi aparține canibalismul ritual. Marea preocupare a canibalului pare a fi de esență metafizică : el nu trebuie să uite ce s-a petrecut *in illo tempore*. Volhardt și Jensen au arătat-o foarte clar :

---

[40] Ad. E. Jensen, *Das religiöse Weltbild einer frühen Kultur* (Stuttgart, 1948). Termenul *dema* a fost împrumutat de Jensen de la populația marind-anim din Noua Guinee, Cf., de asemenea, *Aspects du Mythe*, p. 129 și urm.

răpunînd şi devorînd scroafe cu ocazia festivi-
tăţilor, mîncînd trufandale de tuberculi, *se mă-
nîncă trupul divin, la fel ca în timpul meselor
canibalice.* Sacrificarea scroafelor, vînătoarea
de capete, canibalismul sînt solidare, simbolic,
cu recolta de tuberculi sau nuci de cocos. Vol-
hardt [41] are meritul de a fi degajat, o dată cu
sensul religios al antropofagiei, responsabili-
tatea umană asumată de canibal. Planta ali-
mentară nu este dată de Natură : ea este pro-
dusul unui asasinat, deoarece aşa a fost creată
la începutul timpurilor. Vînătoarea de capete,
sacrificiile omeneşti, canibalismul, toate au fost
acceptate de om pentru a se folosi de viaţa
plantelor. Volhardt a insistat pe bună drep-
tate asupra acestui lucru : canibalul îşi asumă
responsabilitatea în lume, canibalismul nu
este un comportament ,,natural" al omului
,,primitiv" (de altfel el nu se situează la nive-
lele cele mai arhaice de cultură), ci un com-
portament cultural, întemeiat pe o viziune re-
ligioasă asupra vieţii. Pentru ca lumea vegetală
să supravieţuiască, omul trebuie să ucidă şi să
fie ucis ; el trebuie, pe de altă parte, să-şi
asume sexualitatea pînă la limitele extreme :
orgia. Un cîntec abisinian declară : ,,Cea care
încă n-a zămislit, să zămislească ; cel care
n-a ucis încă, să ucidă !" Este un fel de-a spune
că cele două sexe sînt condamnate să-şi asume
destinul.

---

[41] E. Volhardt, *Kannibalismus* (Stuttgart, 1939).
Cf. M. Eliade, *Mythes, rêves et mystères* (Gallimard, 1957),
p. 37 şi urm.

Nu trebuie să uităm nici o clipă, înainte de a emite o judecată asupra canibalismului, că acesta a fost fundat de Ființe supranaturale : ele l-au fundat însă pentru a le permite oamenilor să-și asume o responsabilitate în Cosmos, pentru a-i face capabili să vegheze la continuitatea vieții vegetale. Este, deci, o responsabilitate de ordin religios. Canibalii uitoto afirmă : „Tradițiile noastre sînt mereu vii printre noi, chiar și atunci cînd nu dansăm, dar noi muncim numai pentru a putea dansa". Dansurile constau în reiterarea tuturor evenimentelor mitice, deci și a primului asasinat urmat de antropofagie.

Am amintit acest exemplu pentru a arăta că, la primitivi, ca și în cazul civilizațiilor paleoorientale, *imitatio dei* nu este concepută în mod idilic, ci implică o extraordinară responsabilitate umană. Judecînd o societate „sălbatică" nu trebuie să pierdem din vedere faptul că pînă și actele cele mai barbare și comportamentele cele mai aberante au modele transumane, divine. O cu totul altă problemă, pe care n-o vom aborda aici, este aceea de a ști de ce, în urma căror degradări și neînțelegeri anumite comportamente religioase se deteriorează și devin aberante. Important de subliniat aici este faptul că omul religios voia și credea că-și imită zeii, chiar și atunci cînd se lăsa antrenat în acțiuni ce erau la un pas de nebunie, turpitudine și crimă.

_Istorie sacră, Istorie, istoricism_

Să recapitulăm : omul religios cunoaşte două feluri de Timp : cel profan şi cel sacru, o durată evanescentă şi o „succesiune de eternităţi" recuperabile periodic, cu prilejul sărbătorilor ce constituie calendarul sacru. Timpul liturgic al calendarului se derulează în cerc închis : este Timpul cosmic al Anului, sanctificat prin „lucrarea zeilor". Şi pentru că opera divină cea mai grandioasă a fost Crearea Lumii, comemorarea cosmogoniei joacă un rol important în multe religii. Anul Nou coincide cu prima zi a Creaţiei. Anul este dimensiunea temporală a Cosmosului. Cînd s-a scurs un an, se spune : „Lumea a trecut".

Fiecare An Nou reiterează cosmogonia, Lumea este re-creată şi, prin aceasta, şi Timpul este „creat", regenerat, „începe din nou". Astfel, mitul cosmogonic serveşte drept model exemplar oricărei „creaţii" sau „construcţii" şi este folosit chiar ca mijloc ritual de vindecare. Redevenind, simbolic, contemporan Creaţiei, te reintegrezi în plenitudinea primordială. Bolnavul se vindecă deoarece îşi reîncepe viaţa cu o rezervă intactă de energie.

Sărbătoarea religioasă este reactualizarea unui eveniment primordial, a unei „istorii sacre", ai cărei actori sînt zeii sau Fiinţele semidivine. Or, „istoria sacră" este povestită de mituri. Prin urmare, participanţii la sărbătoare devin contemporani ai zeilor şi ai Fiinţelor semidivine. Ei trăiesc în Timpul primordial sanctificat de prezența divină și de activitatea zeilor. Calendarul sacru regenerează periodic Timpul, pentru că-l face să coincidă cu *Timpul originii*, Timpul „puternic" și „pur". Experiența religioasă a sărbătorii, adică participarea la sacru, le permite oamenilor să trăiască periodic în prezența zeilor. De aici, importanța capitală a miturilor în toate religiile premozaice ; miturile povestesc *gestele* zeilor, iar aceste *geste* constituie modelele exemplare ale tuturor activităților umane. În măsura în care îi imită pe zei, omul religios trăiește în *Timpul originii*, Timpul mitic. El „iese" din durata profană pentru a se alătura unui Timp „imobil", „eternitatea".

Pentru că miturile constituie „istoria sfîntă", omul religios al societăților primitive trebuie să se ferească să le uite : reactualizînd miturile, el își apropie zeii și participă la sanctitate. Există însă și „istorii divine tragice" și, reactualizîndu-le periodic, omul își asumă o mare responsabilitate față de sine însuși și față de Natură. Canibalismul ritual, de exemplu, este consecința unei concepții religioase tragice.

În rezumat, prin reactualizarea miturilor, omul religios se străduiește să se apropie de zei și să participe la Ființă ; imitarea modelelor exemplare divine exprimă atît dorința de sanctitate, cît și nostalgia ontologică.

În religiile primitive și arhaice, eterna repetare a gestelor divine se justifică doar ca *imitatio dei*. Calendarul sacru reia anual aceleași sărbători, comemorarea acelorași eveni-

mente mitice. La drept vorbind, calendarul
sacru se prezintă ca ,,eterna reîntoarcere" a
unui număr limitat de gesturi divine, iar acest
lucru este adevărat nu numai pentru religiile
primitive, ci pentru toate celelalte religii. Pre-
tutindeni, calendarul sărbătorilor constituie o
reîntoarcere periodică a acelorași situații pri-
mordiale și, prin urmare, reactualizarea ace-
luiași Timp sacru. Pentru omul religios, reac-
tualizarea acelorași evenimente mitice constituie
cea mai mare speranță : cu fiecare reactuali-
zare, el regăsește șansa de a-și transfigura
existența, de a o face asemănătoare modelului
divin. În esență, pentru omul religios al socie-
tăților primitive și arhaice, eterna repetare a
gesturilor exemplare și întîlnirea eternă cu ace-
lași Timp mitic al originii, sanctificat de zei,
nu implică în nici un caz o viziune pesimistă
asupra vieții ; dimpotrivă, datorită acestei
,,eterne întoarceri" la izvoarele sacrului și ale
realului, existența umană îi apare ca izbăvită
de neant și de moarte.

Perspectiva se schimbă în totalitate
atunci cînd *sensul religiozității cosmice este
umbrit*. Astfel se întîmplă în anumite societăți
mai evoluate, atunci cînd elitele intelectuale se
detașează progresiv de cadrele religiei tra-
diționale. Sanctificarea periodică a Timpului
cosmic se dovedește atunci inutilă și nesemni-
ficativă. Zeii nu mai sînt accesibili prin inter-
mediul ritmurilor cosmice. Semnificația religi-
oasă a repetării gesturilor exemplare s-a

pierdut. Or, *repetarea golită de conţinutul ei religios conduce obligatoriu la o viziune pesimistă asupra existenţei.* Atunci cînd nu mai este un vehicul pentru reintegrarea într-o situaţie primordială şi pentru regăsirea prezenţei misterioase a zeilor, *atunci cînd este desacralizat,* Timpul ciclic devine înspăimîntător : el seamănă cu un cerc care se învîrteşte în juru-i, repetîndu-se la nesfîrşit.

Astfel s-a întîmplat în India, unde doctrina ciclurilor cosmice *(yuga)* a fost savant elaborată. Un ciclu complet, un *mahāyuga,* cuprinde 12 000 de ani. El se termină printr-o „dizolvare", un *pralaya,* ce se repetă mai radical *(mahāpralaya,* „Marea Destrămare") la sfîrşitul ciclului cu numărul o mie. Schema exemplară : „creaţie-distrugere-creaţie etc." se reproduce la nesfîrşit. Cei 12 000 de ani ai unui *mahāyuga* sînt consideraţi „ani divini", fiecare din ei durînd 360 de ani, ceea ce duce la un total de 4 320 000 pentru un singur ciclu cosmic. O mie de asemenea *mahāyuga* constituie un *kalpa* („formă") ; paisprezece *kalpa* fac un *manvantāra* (numit astfel deoarece se presupune că fiecare *manvantāra* este dominat de un Manu, Strămoşul-Rege mitic). Un *kalpa* echivalează cu o zi din viaţa lui Brahma ; un alt *kalpa,* cu o noapte. O sută de astfel de „ani" ai lui Brahma, sau 311 000 miliarde de ani ai oamenilor, constituie viaţa zeului. Dar nici această durată considerabilă a vieţii lui Brahma nu reuşeşte să epuizeze Timpul, pentru că zeii nu sînt eterni, iar creaţiile şi distrugerile cosmice se continuă *ad infinitum*[42]. Aceasta este adevărata „eternă întorcere", eterna repetare a ritmului fundamental al Cosmosului : distrugerea și re-crearea lui periodică. În esență, este concepția primitivă a „Anului-Cosmos", golită însă de conținutul ei religios. Trebuie să spunem că doctrina *yuga* a fost elaborată de elitele intelectuale și că, dacă a devenit o doctrină panindiană, nu trebuie să ne imaginăm că aspectul ei înspăimîntător s-ar fi revelat tuturor populațiilor Indiei. Elitele religioase, ca și cele filozofice, erau cele care simțeau cu precădere disperarea în fața Timpului ciclic ce se repeta la nesfîrșit. Această eternă întoarcere implica, pentru gîndirea indiană, eterna întoarcere la existență datorită *karmei*, legea cauzalității universale. Pe de altă parte, Timpul era omologat cu iluzia cosmică *(māyā)*, iar eterna întoarcere la existență însemna prelungirea nesfîrșită a suferinței și a sclaviei. Pentru aceste elite religioase și filozofice, singura speranță era neîntoarcerea la existență, abolirea *karmei* ; cu alte cuvinte, eliberarea definitivă *(moksha)*, implicînd transcendența Cosmosului[43].

Grecia a cunoscut și ea mitul eternei întoarceri, iar filozofii epocii tîrzii au împins concepția Timpului circular pînă la limitele ei extreme. Să cităm frumosul rezumat al lui

---

[42] M. Eliade, *Le Mythe de l'Éternel Retour*, p. 169 și urm. Vezi, de asemenea, *Images et Symboles* (Paris, 1952), p. 80 și urm.

[43] Această transcendență se obține, de altfel, profitînd de „momentul favorabil" *(kshana)*, ceea ce implică un fel de Timp sacru care permite „ieșirea din Timp" ; vezi *Images et Symboles*, p. 105 și urm.

H. Ch. Puech : „Potrivit celebrei definiții platoniciene, timpul, care determină și măsoară mișcarea circulară a sferelor cerești, este imaginea mobilă a eternității imobile, pe care o imită, derulîndu-se în cerc. În consecință, devenirea cosmică în întregime, ca și durata acestei lumi de creație și corupție, care este lumea noastră, se vor dezvolta în cerc sau potrivit unei succesiuni nesfîrșite de cicluri, în cursul cărora aceeași realitate se face, se desface, se reface, conform unei legi și alternative imuabile. Aici nu numai că se păstrează aceeași proporție de ființă, fără ca nimic să se piardă sau să se creeze, ci, în plus, anumiți gînditori ai antichității în declin — pitagoreici, stoici, platonicieni — ajung să admită că în interiorul fiecăruia dintre aceste cicluri temporale, în interiorul acestor *aiones*, al acestor *aeva*, se reproduc aceleași situații care s-au produs deja în ciclurile anterioare și se vor reproduce în ciclurile următoare — la nesfîrșit. Nici un eveniment nu este unic, nu se petrece o singură dată (de exemplu, condamnarea și moartea lui Socrate), ci s-a petrecut și se va petrece perpetuu ; aceiași indivizi au apărut, apar și vor reapărea cu fiecare întoarcere a cercului în același loc. Durata cosmică este repetare și *anakuklesis,* întoarcere eternă"[44].

    Iudaismul prezintă o inovație capitală, atît față de religiile arhaice și paleoorientale, cît și față de concepțiile mitico-filozofice ale Eternei Întoarceri, așa cum au fost ele elaborate

---

[44] Henri Charles Puech, *La Gnose et le Temps* („Eranos-Jahrbuch", XX, 1951), p. 60—61.

în India şi în Grecia. *Pentru iudaism, Timpul are un început şi va avea un sfîrşit.* Ideea Timpului ciclic este depăşită. Iahve nu se mai manifestă în *Timpul cosmic* (ca zeii celorlalte religii), ci într-un *Timp istoric,* care este ireversibil. Fiecare nouă manifestare a lui Iahve în Istorie nu mai este reductibilă la o manifestare anterioară. Căderea Ierusalimului exprimă mînia lui Iahve împotriva poporului său, dar nu este mînia pe care o exprimase Iahve prin căderea Samariei. Gesturile sale sînt intervenţii *personale* în Istorie şi nu-şi dezvăluie sensul profund *decît pentru poporul său,* poporul pe care *l-a ales* Iahve. Evenimentul istoric capătă aici o nouă dimensiune : el devine o teofanie[45].

Creştinismul merge chiar mai departe în valorizarea *Timpului istoric.* Istoria devine susceptibilă de a fi sanctificată pentru că Dumnezeu s-a *întrupat,* şi-a asumat o *existenţă umană condiţionată istoric. Illud tempus* evocat de Evanghelii este un Timp istoric precizat cu claritate — Timpul cînd Pilat din Pont era guvernatorul Iudeii —, dar el a fost *sanctificat prin prezenţa lui Hristos.* Creştinul contemporan care participă la Timpul liturgic întîlneşte *illud tempus,* în care a trăit, a agonizat şi a reînviat Iisus, dar nu mai este vorba de un Timp mitic, ci de Timpul cînd Pilat din Pont guverna în Iudeea. Şi pentru creştin calendarul sacru reia la nesfîrşit aceleaşi evenimente ale existenţei lui Hristos, dar aceste evenimente s-au desfăşurat în Istorie ; ele nu mai sînt

---

[45] Cf. *Le Mythe de l'Éternel Retour,* p. 152 şi urm., asupra valorizării Istoriei de către iudaism, mai ales de către profeţi.

fapte care s-au petrecut *la originea Timpului,*
„la început" (cu nuanţa că pentru creştin Timpul
începe din nou o dată cu naşterea lui Hristos,
deoarece întruparea fondează o nouă situare a
omului în Cosmos). Pe scurt, Istoria se dove-
deşte a fi o nouă dimensiune a prezenţei lui
Dumnezeu în lume. *Istoria* redevine *Istoria
sfîntă,* aşa cum era ea concepută, într-o perspec-
tivă mitică însă, în religiile primitive şi ar-
haice [46].

Creştinismul ajunge la o *teologie,* şi
nu la o *filozofie* a Istoriei, pentru că interven-
ţiile lui Dumnezeu în Istorie şi mai ales Întru-
parea, în persoana istorică a lui Iisus Hristos,
au un scop transistoric : mîntuirea omului.

Hegel reia ideologia iudeo-creştină şi
o aplică Istoriei universale în totalitatea ei :
Spiritul universal se manifestă *continuu* în eve-
nimentele istorice şi nu se manifestă *decît* în
aceste evenimente. Istoria devine deci, *în tota-
litatea* ei, o teofanie : tot ce s-a petrecut în
Istorie *trebuia să se petreacă astfel,* pentru că
Spiritul universal a vrut-o. Este calea deschisă
diferitelor forme de filozofie istoricistă din se-
colul XX. Aici investigaţia noastră se opreşte,
pentru că toate aceste noi valorizări ale Timpu-
lui şi ale Istoriei aparţin istoriei filozofiei. Tre-
buie adăugat totuşi că istoricismul se constituie
ca un produs al descompunerii creştinismului :
el acordă o importanţă hotărîtoare evenimen-
tului istoric (idee de origine iudeo-creştină),
dar *evenimentului istoric ca atare,* negîndu-i

---

[46] Cf. M. Eliade, *Images et Symboles,* p. 222 şi urm ;
*Aspects du Mythe,* p. 199 şi urm.

adică orice posibilitate de a dezvălui o intenție
soteriologică, transistorică[47].

Nu este lipsit de interes să remarcăm,
în legătură cu concepțiile despre Timp la care
s-au oprit anumite filozofii istoriste și existen-
țialiste, următorul fapt : cu toate că nu mai
este conceput ca un „cerc", Timpul recapătă,
în aceste filozofii moderne, aspectul înspăimîn-
tător pe care-l avea în filozofiile indiană și
greacă ale Eternei Întoarceri. Desacralizat defi-
nitiv, Timpul se prezintă ca o durată precară
și evanescentă care duce, iremediabil, la moarte.

---

[47] Asupra dificultăților istoricismului,    vezi   *Le
Mythe de l'Éternel Retour*, p. 218 și urm.

## CAPITOLUL III

# SACRALITATEA NATURII ȘI RELIGIA COSMICĂ

Pentru omul religios, Natura nu este niciodată exclusiv „naturală" : ea este întotdeauna încărcată cu o valoare religioasă. Lucru explicabil, deoarece Cosmosul este o creație divină : ieșită din mîinile zeilor, Lumea rămîne impregnată de sacralitate. Nu este vorba de o sacralitate comunicată de zei, aceea, de exemplu, a unui loc sau a unui obiect consacrat de prezența divină. Zeii au făcut mai mult : *ei au manifestat diferitele modalități ale sacrului în însăși structura Lumii și a fenomenelor cosmice.*

Lumea se prezintă în așa fel încît, contemplînd-o, omul religios descoperă multiplele modalități ale sacrului și, prin urmare, ale Ființei. Înainte de toate, Lumea *există*, ea este *prezentă* și are o structură : nu este un Haos, ci un Cosmos ; se impune ca o creație, operă a zeilor. Această operă divină își păstrează mereu transparența, dezvăluind spontan multiplele aspecte ale sacrului. Cerul dezvăluie în mod direct, „natural", distanța nesfîrșită, transcendența zeului. Pămîntul, de asemenea, este „transparent" : el se prezintă ca mamă și doică universală. Ritmurile cosmice vădesc ordinea, armonia, permanența, fecundi-

tatea. În ansamblu, Cosmosul este, în același
timp, un organism *real, viu* și *sacru* : el des-
coperă în aceeași măsură modalitățile Ființei și
ale sacralității. Ontofania și hierofania se
reunesc.

În acest capitol vom încerca să înțele-
gem cum apare Lumea în ochii omului reli-
gios ; mai exact, *cum se dezvăluie sacralitatea
prin intermediul structurilor înseși ale Lumii.*
Nu trebuie să uităm că, pentru omul religios,
,,supranaturalul" este indisolubil legat de ,,na-
tural", că Natura exprimă întotdeauna ceva
ce o transcende. După cum am spus : dacă este
venerată o piatră sacră, faptul se întîmplă pen-
tru că este *sacră*, nu pentru că este *piatră ;*
sacralitatea *manifestată prin intermediul mo-
dului de a fi al pietrei* este cea care-i dezvăluie
adevărata esență. Astfel, nu se poate vorbi de
,,naturism" sau despre ,,religie naturală", în
sensul dat acestor cuvinte în secolul al XIX-lea,
deoarece, prin intermediul aspectelor ,,naturale"
ale Lumii, cea care se lasă descoperită de către
omul religios este ,,supranatura".


### Sacrul celest și zeii uranieni

Simpla contemplare a boltei cerești este
suficientă pentru a declanșa o experiență reli-
gioasă. Cerul se vădește infinit, transcendent.
Față de acest nimic pe care-l reprezintă omul
și mediul său înconjurător, el este, prin exce-
lență, *ganz andere.* Transcendența se dezvăluie
prin simpla conștientizare a înălțimii nesfîrșite.

„Preaînaltul" devine, în mod spontan, un atribut al divinității. Regiunile superioare inaccesibile omului, zonele siderale dobîndesc autoritatea transcendentului, a realității absolute, a eternității. Acolo este lăcașul zeilor ; acolo, prin rituri de ascensiune, ajung cîțiva privilegiați ; acolo se înalță, potrivit concepției anumitor religii, sufletele morților. „Preaînaltul" este o dimensiune inaccesibilă omului ca atare ; ea aparține de drept forțelor și Ființelor supraomenești. Cel care se înalță, escaladînd treptele unui sanctuar sau scara rituală ce conduce la Cer, încetează de a mai fi om : într-un fel sau altul, el participă la o condiție supranaturală.

Nu este vorba de o operație logică, rațională. Categoria transcendentală a „înălțimii", a „suprapămîntescului", a infinitului se dezvăluie omului în întregul său, atît inteligenței, cît și sufletului. Este o conștientizare totală a omului : în fața Cerului, el descoperă nemărginirea divină și în același timp propria sa situare în Cosmos. Cerul dezvăluie, *prin propriul său mod de a fi*, transcendența, forța, eternitatea. *El există în mod absolut*, pentru că este *înalt, infinit, etern, puternic*.

În acest sens trebuie înțeles ceea ce spuneam mai sus, anume că zeii au manifestat diferitele modalități ale sacrului în însăși structura Lumii : Cosmosul — opera exemplară a zeilor — este „construit" în așa fel încît sentimentul religios al transcendenței divine este stimulat de însăși existența Cerului. Pentru că Cerul *există* în mod absolut, un mare număr de zei supremi ai populațiilor primitive poartă nume

ce desemnează înaltul, bolta cerească, feno-
menele meteorologice ; sau sînt numiți, pur și
simplu, „Proprietari ai Cerului" ori „Locuitori
ai Cerului".

Divinitatea supremă a maorilor se nu-
mește Iho ; *iho* are sensul de „înalt, de sus".
Uwoluwu, Zeul suprem al negrilor akposo în-
seamnă „ceea ce este sus, regiunile superioare".
La populația selk'nam din Țara de Foc, Zeul
se numește „Locuitor al Cerului" sau „Cel care
este în Cer". Puluga, Ființa supremă a anda-
manezilor, locuiește în Cer ; glasul lui este
tunetul ; vîntul, răsuflarea sa ; uraganul este
semnul mîniei sale, deoarece îi pedepsește prin
trăsnet pe cei care-i încalcă poruncile. La popu-
lația yoruba de pe Coasta Sclavilor, Zeul Ce-
rului se numește Olorum, literal, „Proprietar
al Cerului". Populația samoyede îl adoră pe
Num, zeu care locuiește în Cerul cel mai înalt
și al cărui nume înseamnă „Cer". La koriaki,
divinitatea supremă se numește „Cel de sus",
„Stăpînul înaltului", „Cel ce există". Ainușii îl
numesc „Căpetenia divină a Cerului", „Zeul
celest", „Creatorul divin al lumilor", dar și
*Kamui,* adică „Cer". Lista poate fi prelungită
cu ușurință[48].

Să adăugăm că aceeași situație se în-
tîlnește în religiile popoarelor mai civilizate,
cele care au jucat un rol important în Istorie.
Numele mongol al Zeului suprem este *tengri*,
care înseamnă „Cer". *T'ien* din chineză vrea
să însemne „Cerul" și „Zeul Cerului". Terme-

---

[48] Vezi exemplele și bibliografia în *Traité d'his-
toire des religions,* p. 47—64.

nul sumerian pentru divinitate, *dingir*, avea drept semnificaţie primitivă o epifanie celestă : „luminos, strălucitor". Anu babilonian exprimă şi el noţiunea de „Cer". Zeul suprem indo-european, Dîeus, indică şi epifania celestă, şi sacrul (cf. scr. *div.*, „a străluci", „zi" ; *dyaus*, „cer", „zi" — Dyaus, zeu indian al Cerului). Zeus, Jupiter păstrează încă în numele lor amintirea sacralităţii celeste. Celticul *Taranis* (de la *taran* „a tuna"), balticul Perkûnas („fulger") şi protoslavul Perun (cf. polonezul *piorun* : „fulger") arată mai ales transformările ulterioare ale zeilor Cerului în zei ai Furtunii[49].

Să ne ferim să conchidem că e vorba de „naturism". Zeul celest nu este identificat cu Cerul, fiindcă Zeul însuşi este acela care, creator al întregului Cosmos, a creat şi cerul, fiind numit, din acest motiv, „Creator", „Atotputernic", „Domn", „Căpetenie", „Tată" etc. Zeul celest este o persoană, nu o epifanie uraniană. El locuieşte însă în Cer şi se manifestă prin intermediul fenomenelor meteorologice : tunet, trăsnet, furtună, meteori etc. Aceasta înseamnă că anumite structuri privilegiate ale Cosmosului — Cerul, atmosfera — constituie epifaniile preferate ale Fiinţei supreme ; ea îşi dezvăluie prezenţa prin ceea ce-i este specific : *majestas* în nemărginirea celestă, *tremendum* în furtună.

---

[49] În legătură cu toate acestea, vezi *Traité d'histoire des religions*, p. 65 şi urm., 79 şi urm.

### Zeul îndepărtat

Istoria fiinţelor supreme de structură celestă este de o importanţă capitală pentru cel care vrea să înţeleagă istoria religioasă a umanităţii în ansamblul ei. Nu intenţionăm să o scriem aici, în cîteva pagini[50]. Trebuie să evocăm, însă, un fapt care ni se pare esenţial : Fiinţele supreme de structură celestă tind să dispară din cult ; ele „se îndepărtează" de oameni, se retrag în Cer şi devin *dei otiosi*. Aceşti zei, după ce au creat Cosmosul, viaţa şi pe om, resimt, se spune, un fel de „oboseală", ca şi cum lucrarea enormă a Creaţiei le-ar fi epuizat resursele. Se retrag în Cer, lăsîndu-l pe Pămînt pe fiul lor sau un demiurg pentru a termina sau a desăvîrşi Creaţia. Puţin cîte puţin, locul le este luat de alte figuri divine : Strămoşii mitici, Zeiţele-Mame, Zeii fecundatori etc. Zeul Furtunii încă mai păstrează o structură celestă, dar nu mai este o Fiinţă supremă creatoare : el nu este decît o Fiinţă fecundatoare a Pămîntului şi uneori un simplu auxiliar al rudei sale, Pămîntul-Mamă. Fiinţa supremă de structură celestă nu-şi păstrează locul preponderent decît la popoarele de păstori şi dobîndeşte o situaţie unică în religiile cu tendinţă monoteistă (Ahura-Mazdă) sau monoteiste (Iahve, Allah).

---

[50] Elementele vor fi găsite în cartea noastră citată mai sus, p. 47—116. Vezi, îndeosebi, R. Pettazzoni, *Dio* (Roma, 1921) ; id. *L'onniscienza di Dio* (Torino, 1955) ; Wilhelm Schmidt, *Ursprung der Gottesidee*, I—XII (Munster, 1926—1955).

Fenomenul „îndepărtării" Zeului suprem este atestat chiar şi la nivelele arhaice de cultură. La australienii kulin, Fiinţa supremă Bundjil a creat Universul, animalele, copacii şi chiar pe om ; dar după ce şi-a învestit fiul cu puterea asupra Pămîntului şi fiica, cu puterea asupra Cerului, Bundjil s-a retras din lume. El stă pe nori, ca un „domn", cu o sabie mare în mînă. Puluga, Fiinţa supremă a andamanezilor, s-a retras după ce a creat lumea şi pe primul om. Misterului „îndepărtării" îi corespunde absenţa aproape completă a cultului : nici un sacrificiu, nici o rugăciune, nici o acţiune de recunoştinţă. Abia de mai există cîteva obiceiuri religioase în care supravieţuieşte amintirea lui Puluga : de exemplu, „liniştea sacră" a bărbaţilor care se întorc în sat după o vînătoare norocoasă.

„Locuitorul Cerului" sau „Cel care este în Cer" al populaţiei selk'nam este etern, omniscient, atotputernic, creator, dar Creaţia a fost desăvîrşită de către strămoşii mitici, făcuţi şi ei de Zeul suprem, înainte de a se retrage deasupra stelelor. În momentul de faţă, acest Zeu s-a retras dintre oameni, indiferent la problemele lumii. El nu are nici reprezentări, nici preoţi. Nu i se adresează rugăciuni decît în caz de boală : „Tu, cel de sus, nu-mi lua copilul ; este încă prea mic !" [51] Nu i se mai aduc ofrande decît în timpul intemperiilor.

---

[51] Martin Gusinde, *Das höchste Wesen bei den Selk'nam auf Feuerland* („Festschrift W. Schmidt", Wien, 1928, p. 269—274).

Acelaşi fenomen se întîlneşte la majoritatea populaţiilor africane : marele Zeu celest, Fiinţa supremă, creatoare şi atotputernică, nu joacă decît un rol nesemnificativ în viaţa religioasă a tribului. El este prea departe sau prea bun pentru a avea nevoie de un cult propriu-zis şi este invocat doar în cazuri extreme. Astfel, Olorum („Proprietarul Cerului") al populaţiei yoruba, după ce a început crearea Lumii, a încredinţat grija de a o desăvîrşi şi de a o guverna unui zeu inferior, Obatala, după care s-a retras definitiv din problemele pămînteşti şi omeneşti ; nu mai există, prin urmare, nici temple, nici statui, nici preoţi ai acestui Zeu suprem. *El este, totuşi, invocat ca ultimă salvare în vremuri de calamitate.*

Retras în Cer, Ndyambi, Zeul suprem al populaţiei herero, a lăsat omenirea în grija unor divinităţi inferioare. „De ce i-am oferi sacrificii ? explică un indigen. Nu trebuie să ne fie teamă de el fiindcă, spre deosebire de [spiritele] morţilor noştri,el nu ne face nici un rău"[52]. Fiinţa supremă a populaţiei tumbuka este prea mare „pentru a se interesa de problemele obişnuite ale oamenilor"[53]. Aceeaşi situaţie la populaţiile de limbă tshi din Africa occidentală, cu Njankupon : el nu are un cult şi nu este omagiat decît în împrejurări rare, în caz de mare sărăcie sau de epidemii ori după un uragan violent ; oamenii îl întreabă atunci cu ce l-au supărat. Dzingbé („Tatăl universal"), Fiinţa su-

---

[52] Cf. Frazer, *The Worship of Nature.* I, (Londra, 1926), p. 150 şi urm.
[53] *Ibid.,* p. 135.

premă a populaţiei ewe, nu este invocat decît în timpul secetei : „O, Cer căruia-i datorăm mulţumirile noastre, mare este seceta : fă să plouă, ca Pămîntul să se reîmprospăteze şi cîmpiile să rodească !" [54] Îndepărtarea şi pasivitatea Fiinţei supreme sînt exprimate admirabil într-un dicton al populaţiei gyriama din Africa orientală, care îşi descrie astfel Zeul : „Mulugu (Zeul) este acolo sus, sufletele morţilor sînt jos !" [55] Populaţia bantu spune : „Zeul, după ce l-a creat pe om, nu se mai interesează deloc de el". Negrii pigmei afirmă : „Zeul s-a îndepărtat de noi !" [56] Populaţia fang din preeria Africii ecuatoriale îşi rezumă filozofia religioasă în cîntecul următor :

> *Zeul (Nzame) este acolo sus,*
> *omul este jos.*
> *Zeul este Zeu şi omul este om.*
> *Fiecare la el, fiecare în casa lui* " [57].

Ar fi inutil să mai dăm şi alte exemple. Peste tot, în aceste religii primitive, Fiinţa supremă celestă pare a-şi fi *pierdut actualitatea religioasă ;* ea este absentă din cult, iar mitul ne-o arată retrăgîndu-se tot mai departe de oameni, pînă la a deveni un *deus otiosus.* Oamenii îşi amintesc totuşi de ea şi o imploră în ultimă instanţă, *atunci cînd toate demersurile făcute pe lîngă ceilalţi zei şi zeiţe, strămoşi şi demoni au*

---

[54] J. Spieth, *Die Religion der Eweer* (Göttingen-Leipzig, 1911), p. 46 şi urm.
[55] Mgr. Le Roy, *La Religion des primitifs* (ed. a 7-a, Paris, 1925), p. 184.
[56] H. Trilles, *Les Pygmées de la forêt équatoriale* (Paris, 1932), p. 74.
[57] *Ibid.,* p. 77.

*eşuat.* După cum se exprimă populaţia oraon :
„Am încercat totul,dar te mai avem pe Tine să
ne ajuţi !" Şi-i sacrifică un cocoş alb, strigînd :
„O, Zeule ! Tu eşti Creatorul nostru ! Ai milă
de noi !"[58]

### Experienţa religioasă a Vieţii

„Îndepărtarea divină" exprimă, în reali-
tate, interesul din ce în ce mai mare al omului
pentru propriile sale descoperiri religioase, cul-
turale şi economice. Prin interesul arătat hie-
rofaniilor Vieţii, descoperirii caracterului sa-
cru al fecundităţii terestre şi prin faptul că se
simte solicitat de experienţele religioase  mai
„concrete" (mai carnale, orgiastice chiar), omul
„primitiv" se îndepărtează de Zeul celest  şi
transcendent. Descoperirea agriculturii trans-
formă radical nu numai economia omului pri-
mitiv ci, înainte de toate, *economia  sacrului.*
Alte forţe religioase intră în joc : sexualitatea,
fecunditatea, mitologia femeii şi a Pămîntului
etc. Experienţa religioasă devine mai concretă,
mai intim legată de Viaţă. Marile Zeiţe-Mame
şi Zeii cei puternici sau geniile fecundităţii
sînt mult mai „dinamice" şi mai accesibile
decît Zeul creator.

Dar, cum am văzut, în caz de nenorocire
extremă, atunci cînd s-a încercat zadarnic to-
tul, mai ales în caz de dezastru venind de la Cer,

---

[58] Frazer, *op. cit.,* p. 631.

secetă, furtună, epidemii, oamenii se întorc spre Fiinţa supremă şi îi adresează, umil, rugăciuni. Această atitudine nu se întîlneşte doar la populaţiile primitive. De fiecare dată cînd vechii evrei traversau o perioadă de pace şi de prosperitate economică relativă, ei se îndepărtau de Iahve şi se apropiau de zeii Baal şi Astarte ai vecinilor lor. Doar catastrofele istorice îi obligau să se întoarcă spre Iahve. „Atunci au strigat către Domnul şi s-au tînguit : «Păcătuit-am fiindcă am părăsit pe Domnul şi am slujit Baalilor şi Astartelor ; însă acum scapă-ne din mîna duşmanilor noştri şi-ţi vom sluji ţie»" (I, Samuel, XII, 10).

Evreii se întorceau spre Iahve după catastrofele istorice şi atunci cînd pericolul anentizării sub semnul Istoriei era iminent. Primitivii îşi aminteau de Fiinţele lor supreme în cazul unor catastrofe cosmice. Dar sensul acestei întoarceri la Zeul celest este acelaşi şi la unii, şi la alţii : într-o situaţie deosebit de critică, atunci cînd însăşi existenţa colectivităţii este în joc, sînt abandonate divinităţile care asigură şi exaltă Viaţa în vremuri normale, pentru a-l regăsi pe Zeul suprem. Există aici, în aparenţă, un mare paradox : divinităţile care, la primitivi, i-au înlocuit pe zeii de origine celestă erau, precum zeii Baal şi Astarte pentru evrei, divinităţi ale fecundităţii, ale opulenţei, ale plenitudinii vitale ; pe scurt, divinităţi care exaltau şi amplificau Viaţa, atît viaţa cosmică — vegetaţie, agricultură, turme — cît şi viaţa oamenilor. În aparenţă, aceste divinităţi erau viguroase, *puternice*. Actualitatea lor religioasă se explica tocmai prin

forţa lor, prin rezervele lor vitale nelimitate,
prin fecunditatea lor.

Cu toate acestea, adoratorii lor, atît pri-
mitivii cît şi evreii, aveau sentimentul că toate
aceste Mari Zeiţe şi toţi aceşti zei agrari erau in-
capabili să-i *salveze*, să le asigure existenţa în
momente cu adevărat critice. Aceşti zei şi zeiţe
nu puteau decît să *reproducă* Viaţa şi să o *spo-
rească* ; mai mult decît atît, ei nu puteau înde-
plini această funcţie decît într-o perioadă „nor-
mală" : divinităţile care conduceau admirabil
ritmurile cosmice se dovedeau incapabile de a
*salva* Cosmosul sau societatea umană într-un
moment de criză (criză „istorică", la evrei).

Diferitele divinităţi care s-au substituit
Fiinţelor supreme au acumulat puterile cele mai
*concrete* şi mai evidente, puterile Vieţii. Dar,
tocmai de aceea, ele s-au „specializat" în *pro-
creare* şi au pierdut puterile mai subtile, mai
„nobile", mai „spirituale" ale *Zeilor creatori*.
Descoperind sacralitatea Vieţii, omul s-a lăsat
antrenat progresiv de propria sa descoperire :
s-a abandonat hierofaniilor vitale şi s-a înde-
părtat de sacralitatea ce transcende nevoile sale
imediate şi zilnice.

### *Perenitatea simbolurilor celeste*

Să remarcăm însă că, şi atunci cînd
viaţa religioasă nu mai este dominată de zeii
celeşti, regiunile siderale, simbolismul uranian,
miturile şi riturile ridicării la cer etc. *păs-
trează un loc preponderent în economia sacru-*

*lui.* Ceea ce este „acolo sus", „înaltul" continuă
să dezvăluie *transcendentul* în orice ansamblu
religios. Îndepărtat din cult şi imobilizat   de
mitologii, Cerul se menţine prezent în viaţa
religioasă prin intermediul simbolismului. Iar
acest simbolism celest impregnează şi susţine,
la rîndul său, numeroase rituri (de ascensiune,
de înălţare, de iniţiere, de regalitate etc.), mi-
turi (Arborele cosmic, Muntele cosmic, lanţul
săgeţilor care unesc Pămîntul şi Cerul etc.), le-
gende (zborul magic etc.). Simbolismul „Cen-
trului Lumii", a cărui enormă răspîndire am vă-
zut-o, ilustrează, de asemenea, importanţa sim-
bolismului celest : comunicarea cu Cerul se
efectuează într-un Centru, iar aceasta consti-
tuie imaginea exemplară a transcendenţei.

S-ar putea spune că însăşi structura
Cosmosului păstrează vie amintirea Fiinţei su-
preme celeste, ca şi cum zeii ar fi creat Lumea
în aşa fel încît *ea să nu poată să nu le reflec-
te existenţa ;* aceasta, deoarece nici o lume
nu este posibilă fără verticalitate, dimensiune
care, singură, evocă transcendenţa.

Expulzat din  viaţa religioasă propriu-
zisă, *sacrul celest* rămîne activ prin interme-
diul simbolismului. Un simbol religios îşi trans-
mite mesajul, chiar dacă nu mai este surprins
*în mod conştient* în totalitatea lui, întrucît sim-
bolul se adresează fiinţei umane în întregul ei,
nu doar inteligenţei.

## Structura simbolismului acvatic

Înainte de-a vorbi despre Pămînt, tre-
buie să prezentăm valorile religioase ale Ape-
lor[59], iar aceasta din două motive : 1) pentru
că Apele existau înaintea Pămîntului (după
cum se exprimă Geneza, „întuneric era deasu-
pra adîncului, iar Duhul lui Dumnezeu se purta
pe deasupra apelor") ; 2) analizînd valorile
religioase ale Apelor se surprinde mai bine
structura şi funcţia simbolismului. Or, simbolis-
mul joacă un rol considerabil în viaţa religioasă
a umanităţii ; datorită simbolurilor, Lumea de-
vine „transparentă", susceptibilă să „arate"
transcendenţa.

Apele simbolizează totalitatea univer-
sală a virtualităţilor : ele sînt *fons et origo*, re-
zervorul tuturor posibilităţilor existenţei ; ele
preced orice formă şi *susţin* orice creaţie. Una
dintre imaginile exemplare ale Creaţiei este In-
sula, care se „manifestă" brusc în mijlocul va-
lurilor. Imersiunea, în schimb, simbolizează că-
derea în preformal, reintegrarea în modalitatea
nediferenţiată a preexistenţei. Emersiunea re-
petă gestul cosmogonic al manifestării formale ;
imersiunea echivalează cu o descompunere a
formelor. Din acest motiv, simbolismul Apelor
implică atît moartea, cît şi renaşterea. Contac-
tul cu apa permite întotdeauna o regenerare :
descompunerea este urmată de o „nouă naş-
tere", iar imersiunea fertilizează şi multiplică

---

[59] Pentru tot ce urmează, vezi *Traité d'histoire des
religions*, p. 163 şi urm. ; *Images et Symboles*, p. 199 şi
urm.

potenţialul vieţii. Cosmogoniei acvatice îi corespund, la nivel antropologic, hilogeniile — credinţele potrivit cărora specia umană s-a născut din Ape. Potopului sau scufundării periodice a continentelor (mituri de tipul ,,Atlantida") îi corespund, la nivel uman, ,,cea de-a doua moarte" a omului (,,umiditatea" şi *leimon*-ul Infernului etc.) sau moartea iniţiatică prin botez. Dar, atît pe plan cosmologic, cît şi pe plan antropologic, imersiunea în Ape echivalează nu cu o stingere definitivă, ci cu o reintegrare trecătoare în nedistinct, urmată de o nouă creaţie, de o nouă viaţă sau de un ,,om nou", după cum este vorba despre un moment cosmic, biologic sau soteriologic. Din punctul de vedere al structurii, ,,potopul" este comparabil cu ,,botezul", iar libaţia funerară cu ceremoniile de purificare a noilor-născuţi sau cu băile rituale de primăvară care aduc sănătate şi fertilitate.

Indiferent de ansamblul religios în care sînt întîlnite, Apele îşi păstrează invariabil funcţia : ele dezintegrează, abolesc formele, ,,spală păcatele, fiind, în acelaşi timp, purificatoare şi regeneratoare. Menirea lor este aceea de a preceda Creaţia şi a o resorbi, incapabile fiind să-şi depăşească propriul lor mod de a fi, adică să se manifeste în *forme*. Apele nu pot transcende condiţia virtualului, a germenilor şi a latenţelor. Tot ce este *formă* se manifestă deasupra Apelor, detaşîndu-se de ele.

Desprindem aici o trăsătură esenţială : sacralitatea Apelor şi structura cosmogoniilor şi a apocalipsurilor acvatice *n-ar putea fi re-*

*velate integral decît prin simbolismul acvatic,*
singurul „sistem" capabil să articuleze toate re-
velaţiile particulare ale nenumăratelor  hiero-
fanii[60]. Această lege este, de altminteri, cea a
oricărui simbolism : *ansamblul* simbolic  este
cel care valorizează diferitele semnificaţii  ale
hierofaniilor. „Apele Morţii", de exemplu, nu-şi
dezvăluie sensul profund decît în măsura  în
care se cunoaşte structura  simbolismului ac-
vatic.

## Istoria exemplară a botezului

Părinţii Bisericii n-au întîrziat  să  ex-
ploateze anumite valori precreştine şi univer-
sale ale simbolismului acvatic, chiar dacă le-au
îmbogăţit cu semnificaţii noi, raportîndu-le la
experienţa istorică a lui Hristos. Pentru Ter-
tulian *(De Baptismo,* III-V), apa a fost,  prima,
„lăcaşul Spiritului divin, care o prefera  pe
atunci celorlalte elemente... Această primă
apă a dat naştere viului, deci să nu ne mirăm
dacă, prin botez, apele mai produc încă viaţă...
Toate felurile de apă participă, deci, din pri-
cina prerogativei străvechi care le-a marcat la
origine, la misterul sanctificării noastre, dacă
Dumnezeu este invocat peste ele. Invocaţia
odată făcută, Spiritul Sfînt apare pe neaştep-
tate din cer, se opreşte deasupra apelor pe care
le sfinţeşte prin propria sa prezenţă şi, astfel

---

[60] În legătură cu simbolismul, vezi *Traité d'histoire des religions,* p. 373 şi urm., îndeosebi p. 382 şi urm. ; *Méphistophélès et l'Androgyne,* p. 238—268.

sfințite, acestea se impregnează cu puterea de
a sfinți la rîndul lor... Ele, care aduceau leac
suferințelor trupului, vindecă acum sufletul ;
ele operau mîntuirea temporală, acum restau-
rează viața eternă...“

„Vechiul om“ moare prin imersiunea în
apă și dă naștere unei ființe noi, regenerate.
Acest simbolism este exprimat admirabil de
Ioan Hrisostom (*Homil. in Joh.*, XXV,2) care,
vorbind despre multivalența simbolică a bote-
zului, scrie : „El reprezintă moartea și îngro-
păciunea, viața și reînvierea... Cînd ne cufun-
dăm capul în apă ca într-un mormînt, omul cel
vechi este înghițit, în întregime ; cînd ieșim
din apă, omul cel nou apare simultan“.

După cum se poate vedea, interpretările
degajate de Tertulian și Ioan Hrisostom se ar-
monizează perfect cu structura simbolismului
acvatic. *În valorizarea creștină a Apelor inter-
vin, totuși, anumite elemente noi, legate de o „is-
torie“ , în cazul de față, Istoria sfîntă*. Există,
înainte de toate, valorizarea botezului ca o co-
borîre în abisul Apelor pentru un duel cu mon-
strul marin. Această coborîre are un model :
acela al lui Hristos în Iordan, care era și o co-
borîre în Apele Morții. Cum scrie Chiril din
Ierusalim, „balaurul Behemot, spune Iov, era în
Ape și primea Iordanul în botul său uriaș. Or,
cum capetele balaurului trebuiau zdrobite, co-
borînd în Ape, Iisus l-a legat pe cel puternic
pentru ca noi să putem dobîndi puterea de a
călca peste scorpioni și șerpi“[61] .

[61] Vezi comentariul pe marginea acestui text în
J. Daniélou, *Bible et Liturgie* (Paris, 1951), p. 59 și urm.

Vine apoi valorizarea botezului ca repetare a Potopului. După Justin, Hristos, Noul Noe, ieşit victorios din Ape, a devenit stăpînul unei rase. Potopul înfăţişează, astfel, atît coborîrea în adîncurile marine, cît şi botezul. „Potopul era deci o imagine pe care botezul vine să o desăvîrşească... După cum Noe înfruntase Marea Morţii în care fusese aneantizată umanitatea păcătoasă ca apoi să iasă la suprafaţă, tot astfel, noul botezat coboară în cristelniţă pentru a-l înfrunta pe Balaurul mării într-o bătălie supremă din care să iasă învingător.“ [62]

Dar, tot în legătură cu ritul baptismal, Hristos este asemuit şi cu Adam. Paralela Adam-Hristos ocupă deja un rol considerabil în teologia Sfîntului Pavel. „Prin botez, afirmă Tertulian, omul redobîndeşte asemănarea cu Dumnezeu“ (_De Bapt._, V). Pentru Chiril, „botezul nu este doar purificarea păcatelor şi graţia adoptării, ci şi _antitypos_ al pătimirii lui Hristos“. Goliciunea baptismală comportă şi ea o semnificaţie rituală şi metafizică, în acelaşi timp : este abandonul „vechii haine de corupţie şi păcat, pe care botezatul şi-o scoate, asemenea lui Hristos, cea cu care fusese îmbrăcat Adam după păcat“ [63], dar şi întoarcerea la inocenţa primitivă, la condiţia lui Adam de dinaintea căderii. „O, ce lucru minunat ! scrie Chiril. Eraţi goi sub ochii tuturor, fără să vă fie ruşine, fiindcă purtaţi cu adevărat în voi imaginea pri-

---

[62] J. Daniélou, _Sacramentum futuri_ (Paris, 1950), p. 65.

[63] J. Daniélou, _Bible et Liturgie_, p. 61 şi urm.

mului Adam, care era gol în Paradis fără să-i
fie rușine de aceasta."[64]

Urmărind aceste cîteva texte, ne putem
da seama de sensul inovațiilor creștine : pe de
o parte, Părinții căutau corespondențe între cele
două Testamente ; pe de altă parte, ei arătau
că Iisus îndeplinise cu adevărat promisiunile fă-
cute de Dumnezeu poporului lui Israel. Este însă
important să observăm că *aceste noi valorizări
ale simbolismului baptismal nu contrazic sim-
bolismul acvatic, universal răspîndit.* Totul se
poate regăsi aici : Noe și Potopul au drept co-
respondent, în nenumărate tradiții, cataclismul
care a pus capăt „umanității" („societății"), cu
excepția unui singur om, care va deveni Stră-
moșul mitic al unei noi umanități. „Apele Mor-
ții" sînt un laitmotiv al mitologiilor paleoorien-
tale, asiatice și oceaniene. Apa „ucide" prin
excelență : ea descompune, abolește orice formă.
Tocmai din acest motiv, este bogată în „ger-
meni", creatoare. Simbolismul nudității bap-
tismale nu mai este privilegiul tradiției iudeo-
creștine. Nuditatea rituală echivalează cu inte-
gritatea și plenitudinea ; „Paradisul" implică
absența „îmbrăcăminții", adică absența „uzurii"
(imagine arhetipală a Timpului). Orice nudi-
tate rituală implică un model atemporal, o ima-
gine paradiziacă.

Monștrii abisului se întîlnesc în nume-
roase tradiții : eroii, inițiații coboară în adîn-
cul abisului pentru a-i înfrunta pe monștrii

---

[64] Vezi, de asemenea, alte texte reproduse în J.
Daniélou, *Bible et Liturgie*, p. 56 și urm.

marini ; este o încercare tipic inițiatică. Desigur, variantele abundă în istoria religiilor : uneori, balaurii păzesc o „comoară", imagine concretă a sacrului, a realității absolute ; victoria rituală (inițiatică) asupra monstrului-păzitor echivalează cu cucerirea nemuririi[65]. Botezul este, pentru creștin, o taină, deoarece a fost instituit de Hristos. El reia însă și ritualul inițiatic al încercării (lupta împotriva monstrului), al morții și al reînvierii simbolice (nașterea omului nou). Nu spunem că iudaismul sau creștinismul au „împrumutat" asemenea mituri sau simboluri de la religiile popoarelor vecine ; acest lucru nu era necesar : iudaismul moștenea o preistorie și o lungă istorie religioasă în care toate aceste lucruri existau deja. Nu era nici măcar necesar ca un simbol oarecare să fie păstrat, „treaz" în integralitatea sa, de către iudaism. Ajungea ca un grup de imagini să supraviețuiască, fie și obscur, din timpurile premozaice. Asemenea imagini și asemenea simboluri erau capabile să redobîndească, în orice moment, o puternică actualitate religioasă.

### Universalitatea simbolurilor

Unii Părinți ai Bisericii primitive au sesizat interesul corespondenței dintre simbolurile propuse de creștinism și cele care sînt un bun comun al umanității. Adresîndu-se celor care

---

[65] În legătură cu aceste teme mitico-rituale, vezi *Traité d'histoire des religions*, p. 182 și urm., 247 și urm.

neagă reînvierea morților, Teofil din Antiohia
apela la semnele *(tekhméria)* pe care Dumnezeu
le pusese la îndemîna lor în marile ritmuri cos-
mice — anotimpurile, zilele și nopțile : „Nu
există oare o reînviere a semințelor și a fruc-
telor ?" Pentru Clement al Romei „ziua și noap-
tea ne arată reînvierea ; noaptea se culcă, ziua
se trezește ; ziua pleacă, noaptea sosește" [66].

Pentru apologeții creștini, simbolurile
erau încărcate de mesaje : ele *arătau* sacrul
prin intermediul ritmurilor cosmice. Revelația
adusă de credință nu distrugea semnificațiile
precreștine ale simbolurilor : îi adăuga doar o
nouă valoare. Desigur, pentru credincios, această
nouă semnificație le eclipsa pe celelalte : ea
*singură* valoriza simbolul, îl transfigura în re-
velație. Reînvierea lui Hristos conta, nu „sem-
nele" ce puteau fi citite în viața cosmică. Este
adevărat, totuși, că *noua valorizare era într-un
fel condiționată de însăși structura simbolis-
mului ;* s-ar putea spune chiar că simbolismul
acvatic *aștepta* desăvîrșirea sensului său pro-
fund prin noile valori aduse de creștinism.

Credința creștină ține de o revelație *is-
torică :* întruparea lui Dumnezeu în Timpul
istoric este cea care asigură, în concepția creș-
tină, validitatea simbolurilor. Simbolismul ac-
vatic universal n-a fost însă abolit, nici dezar-
ticulat, în urma interpretărilor istorice (iudeo-
creștine) ale simbolismului baptismal. Altfel
spus, Istoria nu reușește să modifice radical

────────
[66] Cf. L. Beirnaert, *La dimension mythique dans
le sacramentalisme chrétien* („Eranos-Jahrbuch", XVII,
1949), p. 275.

structura unui simbolism acvatic. Istoria adaugă
tot timpul noi semnificaţii, dar acestea nu dis-
trug structura simbolului.

Situaţia descrisă mai sus poate fi înţe-
leasă dacă ţine seama de faptul că, pentru omul
religios, Lumea prezintă întotdeauna o valenţă
supranaturală, că ea dezvăluie o modalitate a
sacrului. Orice fragment cosmic este ,,transpa-
rent" : modul lui propriu de existenţă vădeşte o
structură particulară a Fiinţei şi, prin urmare, a
sacrului. Nu trebuie să uităm niciodată că, pen-
tru omul religios, sacralitatea este o manifestare
plenară a Fiinţei. Revelaţiile sacralităţii cosmice
sînt, într-o oarecare măsură, revelaţii primordi-
ale : ele au avut loc în cel mai îndepărtat trecut
religios al umanităţii, iar inovaţiile aduse ulte-
rior de către Istorie n-au reuşit să le abolească.

## Terra Mater

Un profet indian, Smohalla, căpetenie a
tribului wanapum, refuza să lucreze pămîntul.
Considera că este păcat să o rănească sau des-
pice, să o spintece sau zgîrie pe ,,maica noas-
tră, a tuturor", datorită muncilor agricole. Şi
adăuga : ,,Îmi cereţi să muncesc pămîntul ? Aş
lua oare un cuţit ca să-l împlînt în pieptul ma-
mei mele ? Dar, cînd voi fi mort, ea nu mă va
mai primi la pieptul ei. Îmi cereţi să sap şi să
mut pietre ? I-aş schilodi oare carnea pentru a
ajunge la os ? Atunci, nu voi mai putea intra în
trupul ei pentru a mă naşte din nou. Îmi cereţi
să tai iarba şi fînul, să-l vînd şi să mă îmbogă-

ţesc, ca albii ? Dar cum aş putea îndrăzni să
tai părul mamei mele ?" [67]

Aceste cuvinte au fost rostite cu mai pu-
ţin de un secol în urmă, dar ele ne vin de foarte
departe. Emoţia pe care o simţim auzindu-le
se datoreşte faptului că ele dezvăluie, cu o in-
comparabilă spontaneitate şi prospeţime, ima-
ginea primordială a Pămîntului-Mamă. Această
imagine se întîlneşte peste tot, sub nenumărate
forme şi variante. Este *Terra Mater* sau *Tellus
Mater*, bine cunoscută religiilor mediteraneene,
care dă naştere tuturor fiinţelor. ,,Cînta-voi Glia,
mama lumii cu temelii nepieritoare — se citeşte
în imnul homeric *Către Glie* —, Străbuna ce
hrăneşte toate făpturile de pe pămînt ! Zeiţă,
tu insufli viaţă în piepturile muritoare, apoi le-o
iei !" Şi, în *Hoeforele* (127—128), Eschil glori-
fică pămîntul care ,,dă naştere tuturor fiinţelor,
le hrăneşte, apoi primeşte la rîndu-i de la ele
sămînţa roditoare".

Profetul Smohalla nu ne spune în ce chip
s-au născut oamenii din Mama telurică, dar
unele mituri americane ne dezvăluie cum s-au
petrecut lucrurile la origine, *in illo tempore :*
primii oameni au trăit un timp la sînul Mamei
lor, adică în adîncul Pămîntului, în mărunta-
iele sale. Acolo, în adîncurile telurice, ei duceau
o viaţă pe jumătate umană : încă mai erau,
într-un fel, embrioni imperfect formaţi. Cel
puţin aşa afirmă indienii lenni lenape sau dela-
ware, care locuiau odinioară în Pennsylvania.

---

[67] James Mooney, *The Ghost Dance religion and the
Sioux Outbreak of 1890* (,,Annual Report of the Bureaux of
American Ethnology", XIV 2, Washington, 1896, p. 641—1136),
p. 721, 724.

Potrivit miturilor lor, cu toate că pregătise pen-
tru ei, la suprafața Pămîntului, toate lucrurile
de care se bucură în prezent, Creatorul hotărîse
ca oamenii să mai rămînă un timp ascunși în pîn-
tecele Mamei lor telurice, pentru a se dezvolta
mai bine, pentru a se coace. Alte mituri ameri-
cane vorbesc despre un timp străvechi în care
Pămîntul-Mamă îi producea pe oameni la fel
cum produce în zilele noastre arbuștii și stu-
ful[68].

Zămislirea oamenilor de către Pămînt
este o credință universal răspîndită [69]. În nu-
meroase limbi, omul este numit : ,,născut din
Pămînt". Despre copii se crede că ,,vin" din
adîncul Pămîntului, din peșteri, grote, crăpături,
dar și din mlaștini, izvoare, rîuri. Sub formă de
legende, superstiții sau doar metafore, credințe
asemănătoare încă mai supraviețuiesc în Europa.
Fiecare regiune și aproape fiecare oraș sau sat
cunoaște o stîncă sau un izvor care ,,aduc" co-
piii : *Kinderbrunnen, Kinderteiche, Buben-
quellen* etc. Chiar și la europenii din zilele noas-
tre supraviețuiește sentimentul obscur al unei
solidarități mistice cu pămîntul natal. Este ex-
periența mistică a autohtoniei : simțim că sîn-
tem *oameni ai locului* și acest sentiment de apar-
tenență la o structură cosmică depășește cu mult
solidaritatea familială și strămoșească.

La moarte, dorești să regăsești Pămîn-
tul-Mamă, să fii înmormîntat în pămîntul na-

---

[68] Cf. *Mythes, rêves et mystères* (Gallimard, 1957),
p. 210 și urm.
[69] Vezi A. Dieterich, *Mutter Erde* (Leipzig-Berlin,
1925) ; B. Nyberg, *Kind und Erde* (Helsinki, 1931) ; cf. M.
Eliade, *Traité d'histoire des religions*, p. 211 și urm.

tal. „Tîrăşte-te spre Pămînt, mama ta !" spune
*Rig Veda* (X, XVIII, 10). „Tu, care eşti pă-
mînt, te pun în Pămînt", este scris în *Atharva
Veda* (XVIII, IV, 48). „Fie ca oasele şi carnea
să se întoarcă din nou în Pămînt", se pronunţă
în timpul ceremoniilor funerare chineze. Iar in-
scripţiile sepulcrale romane trădează teama de
a avea cenuşa înmormîntată în altă parte şi, mai
ales, bucuria de a fi fost restituită patriei :
*hic natus hic situs est* (CXLIX, V, 5595 :
„Aici s-a născut, aici a fost înmormîntat") ; *hic
situs est patriae* (VIII, 2885) ; *hic quo natus fue-
rat optans erat illo reverti* (V, 1703 :  „Acolo
unde s-a născut, acolo a dorit să se întoarcă").

*Humi positio : aşezarea copilului
pe pămînt*

Această experienţă fundamentală - că
mama umană nu este decît reprezentanta Marii
Mame telurice - a dat naştere unor obiceiuri
nenumărate. Să amintim, de exemplu, naşterea
pe pămînt *(humi positio)*, ritual ce se întîlneşte
mai peste tot în lume, din Australia în China,
din Africa în America de Sud. La greci şi ro-
mani, obiceiul dispăruse în epoca istorică, dar
nu încape îndoială că existase într-un trecut
mai îndepărtat : anumite statui ale zeiţelor naş-
terii (Eileithya, Damia, Auxeia) le reprezintă
pe acestea în genunchi, în poziţia femeii care
naşte pe pămînt. În textele demotice egiptene,

expresia ,,a se aşeza pe pămînt" însemna ,,a făta" sau ,,naştere" [70].

Sensul religios al acestui obicei poate fi surprins fără dificultate : *procrearea şi naşterea sînt variantele microcosmice ale unui act exemplar săvîrşit de Pămînt* ; mama umană nu face decît să imite şi să repete acest act primordial al apariţiei vieţii în sînul Pămîntului. Ea trebuie, în consecinţă, să se găsească în contact direct cu Marea Genitrix, pentru a se lăsa condusă de ea în desăvîrşirea acestui mister care este naşterea unei vieţi, pentru a primi de la ea energii benefice şi a găsi protecţia maternă.

Şi mai răspîndit este obiceiul de a depune noul-născut pe pămînt. El se mai păstrează încă, în zilele noastre, în anumite ţări din Europa : îndată ce a fost scăldat şi înfăşat, copilul este depus pe pămînt, apoi este ridicat de tatăl său *(de terra tollere)* în semn de recunoştinţă. În vechea Chină, ,,muribundul, ca şi copilul ce se naşte, este depus pe sol... Pentru a se naşte sau pentru a muri, pentru a intra în familia vie sau în familia ancestrală (şi pentru a ieşi dintr-una sau din cealaltă), există un prag comun, Pămîntul natal... cînd noul-născut sau muribundul sînt depuşi pe Pămînt, care trebuie să spună dacă naşterea sau moartea sînt valabile", dacă trebuie să fie considerate fapte săvîrşite şi fireşti... Ritul depunerii pe Pămînt implică ideea unei identităţi substanţiale între rasă şi sol. Această idee se traduce, într-adevăr, prin sentimentul autohtoniei, cel mai viu dintre

---

[70] Cf. referinţele din *Mythes, rêves et mistères*, p. 221 şi urm.

sentimentele pe care le putem descoperi la înce-
putul istoriei chineze ; ideea unei alianţe strînse
între o ţară şi locuitorii ei este o credinţă atît
de profundă încît a rămas în centrul instituţiilor
religioase şi de drept public [71].

După cum copilul este depus pe pămînt
imediat după naştere, pentru ca mama lui ade-
vărată să-l legitimeze şi să-i asigure o protecţie
divină, tot astfel, copiii şi oamenii maturi, dacă
nu sînt înmormîntaţi, sînt şi ei puşi pe pămînt
în caz de boală. *Acest rit echivalează cu o nouă
naştere.* Înmormîntarea simbolică, parţială sau
totală, are aceeaşi valoare magico-religioasă ca
şi imersiunea în apă, botezul. Bolnavul este,
prin aceasta, regenerat : el se naşte din nou.
Operaţia îşi păstrează eficacitatea şi atunci cînd
se urmăreşte ştergerea unei greşeli grave sau
vindecarea unei maladii a spiritului (aceasta din
urmă prezentînd, pentru colectivitate, acelaşi
pericol ca şi crima sau boala somatică). Păcă-
tosul este aşezat într-un butoi sau într-o groapă
săpată în pămînt, iar atunci cînd iese din ea se
spune că ,,s-a născut a doua oară din sînul ma-
mei sale''. De aici şi credinţa scandinavă că o
vrăjitoare poate fi salvată de la damnaţiunea
eternă dacă este înmormîntată de vie, se sea-
mănă seminţe deasupra ei şi se adună recolta
astfel obţinută [72].

Iniţierea comportă o moarte şi o reîn-
viere rituale. Astfel, la numeroase popoare

---

[71] Marcel Granet, *Le dépôt de l'enfant sur le sol*
(,,Revue Archéologique'', 1922 ; *Etudes sociologiques sur la
Chine*, Paris, 1953, p. 159—202), p. 192 şi urm., 197 şi urm.
[72] A. Dieterich, *Mutter Erde*, p. 28 şi urm. ; B.
Nyberg, *Kind und Erde*, p. 150.

primitive, neofitul este simbolic ,,ucis", vîrît
într-o groapă şi acoperit cu frunze. Cînd se ridică din mormînt, el este considerat un *om nou*,
deoarece a fost procreat a doua oară *de către
Mama cosmică însăşi.*

### Femeia, Pămîntul şi fecunditatea

Femeia este, deci, solidară mitic cu
Pămîntul ; procreaţia se prezintă ca o variantă,
la scară umană, a fertilităţii telurice. Toate experienţele religioase legate de fecunditate şi de
naştere *au o structură cosmică.* Sacralitatea
femeii depinde de sfinţenia Pămîntului. Fecunditatea feminină are un model cosmic : acela
al *Terra Mater, Genitrix* universală.

În anumite religii, se crede că Pămîntul
Mamă este capabil să conceapă singur, fără
ajutorul unui partener. Urme ale unor asemenea idei arhaice se regăsesc în miturile partenogenezei zeiţelor mediteraneene. Potrivit lui
Hesiod, Gaïa (Pămîntul) l-a procreat pe Uranus,
fiinţă ,,asemenea sieşi", capabilă ,,de jur împrejur s-o cuprindă" (*Teogonia,* 126 şi urm.) . Alte
zeiţe greceşti au procreat, şi ele, fără ajutorul
zeilor : este o expresie mitică a autosuficienţei
şi fecundităţii spontane a Pămîntului-Mamă.
Concepţiilor mitice de acest gen le corespund
credinţele legate de fecunditatea spontană a
femeii şi de puterile ei magico-religioase oculte,
care exercită o influenţă decisivă asupra vieţii
plantelor. Fenomenul cultural şi social cunoscut
sub numele de ,,matriarhat" se leagă de desco-

perirea cultivării plantelor alimentare de către femeie. Femeia a fost cea care a cultivat, prima, plantele alimentare. Ea este cea care devine, în mod firesc, proprietara solului şi a recoltelor. Superioritatea magico-religioasă şi, în consecinţă, preeminenţa socială a femeii are un model cosmic : imaginea Pămîntului-Mamă.

În alte religii, creaţia cosmică sau, cel puţin, desăvîrşirea ei este rezultatul unei hierogamii între Zeul-Cer şi Pămîntul-Mamă. Acest mit cosmogonic este destul de răspîndit. Se întîlneşte, mai ales, în Oceania, din Indonezia pînă în Micronezia, dar şi în Asia, în Africa, în cele două Americi [73]. Or, cum am văzut, mitul cosmogonic este mitul exemplar prin excelenţă ; el serveşte drept model comportamentelor umane. Din acest motiv, căsătoria umană este considerată o imitaţie a hierogamiei cosmice. „Eu sînt Cerul, declară soţul în *Brhadāranyaka Upanishad* (VI, IV, 20), tu eşti Pămîntul !" În *Atharva Veda* (XIV, II, 71), soţul şi soţia sînt deja asimilaţi cu Cerul şi Pămîntul. Didona îşi celebrează căsătoria cu Eneas în toiul unei furtuni violente *(Eneida, IV, 165 şi urm.)* ; unirea lor coincide cu aceea a elementelor naturii ; Cerul îşi îmbrăţişează soţia, revărsînd ploaia fertilizatoare. În Grecia, riturile matrimoniale imitau exemplul lui Zeus care s-a unit în secret cu Hera (Pausanias, II, XXXVI,2). Cum era de aşteptat, mitul divin este modelul exemplar al

---

[73] Cf. *Traité d'histoire des religions*, p. 212 şi urm. Să precizăm totuşi că, deşi este foarte răspîndit, mitul hierogamiei cosmice nu este universal şi nu este atestat în culturile cele mai arhaice (australiene, din Ţara de Foc, populaţii arctice etc.).

împreunării umane. Mai există un aspect important... de subliniat : *structura cosmică a rituatului conjugal* și a comportamentului sexual al oamenilor. Pentru omul nereligios al societăților moderne, această dimensiune *cosmică și sacră*, în același timp, a unirii conjugale este greu de surprins. Nu trebuie să uităm însă că, pentru omul religios al societăților arhaice, Lumea este încărcată de mesaje. Aceste mesaje sînt uneori cifrate, dar miturile sînt prezente pentru a-l ajuta pe om să le descifreze. Cum se va vedea, experiența umană în totalitatea ei este susceptibilă de a fi omologată Vieții cosmice, prin urmare, de a fi sacrificată, deoarece Cosmosul este suprema creație a zeilor.

Orgia rituală închinată recoltelor are, și ea, un model divin : hierogamia Zeului fecundator cu Pămîntul-Mamă [74]. Fertilitatea agrară este stimulată de o frenezie genezică nelimitată. Dintr-un anumit punct de vedere, orgia corespunde nediferențierii de dinaintea Creației. Astfel, anumite ceremonialuri ale Anului Nou cuprind ritualuri orgiastice ; ,,confuzia" socială, libertinajul și saturnaliile simbolizează regresia în stare amorfă care a precedat Crearea Lumii. În preajma unei ,,creații" la nivelul vieții vegetale, acest scenariu cosmologico-ritual se repetă, deoarece noua recoltă echivalează cu o  nouă ,,Creație". Ideea de *reînnoire* — pe care am întîlnit-o în ritualurile Anului Nou, cînd era vorba de reînnoirea Timpului și totodată de regenerarea Lumii - se regăsește în scenariile orgiastice

---

[74] Cf. *Traité d'histoire des religions*, p. 306 și urm.

agrare. Orgia este, şi aici, o regresie în Noaptea cosmică, în preformal, în „Ape", pentru a asigura regenerarea totală a Vieţii şi, prin urmare, fertilitatea Pămîntului şi belşugul recoltelor.

### Simbolismul Arborelui cosmic şi cultele vegetaţiei

După cum s-a văzut, miturile şi riturile Pămîntului-Mamă exprimă mai ales ideile de fecunditate şi belşug. Este vorba de idei religioase, deoarece multiplele aspecte ale fertilităţii universale dezvăluie, în fond, misterele naşterii, ale creării Vieţii. Or, apariţia Vieţii este, pentru omul religios, misterul central al Lumii. Această viaţă „vine" de undeva, dintr-un loc ce nu este lumea aceasta şi, în final, se retrage de aici şi „se îndreaptă" într-acolo, se prelungeşte misterios spre un loc necunoscut, inaccesibil majorităţii fiinţelor vii. Viaţa omenească nu este simţită ca o scurtă apariţie în Timp, între două neanturi ; ea este precedată de o preexistenţă şi se prelungeşte într-o postexistenţă. Se cunosc destul de puţine lucruri despre aceste două etape ale vieţii umane, dar se ştie, cel puţin, că ele există. Pentru omul religios, moartea nu pune deci capăt, definitiv, vieţii : moartea nu este decît o altă modalitate a existenţei umane.

Toate acestea sînt, de altfel, „cifrate" în riturile cosmice : nu trebuie decît să descifrăm ceea ce „spune" Cosmosul prin multiplele lui feluri de a fi, pentru a înţelege misterul Vieţii.

Or, un lucru pare evident : Cosmosul este un organism viu, care se reînnoiește periodic. Misterul nesfîrșitei apariții a vieții este solidar cu reînnoirea ritmică a Cosmosului. Din acest motiv, Cosmosul a fost imaginat sub forma unui arbore uriaș : modul de a fi al Cosmosului și în primul rînd capacitatea lui de a se regenera la nesfîrșit se exprimă simbolic prin viața arborelui.

Trebuie să remarcăm totuși faptul că nu este vorba despre o simplă transpunere de imagini de la scara micro- la aceea macrocosmică. Ca „obiect natural", arborele nu putea sugera *totalitatea Vieții cosmice :* la nivelul experienței profane, modul lui de a fi nu acoperă modul de a fi al Cosmosului în întreaga lui complexitate. La nivelul experienței profane, viața vegetală nu dezvăluie decît o succesiune de „nașteri" și de „morți". Viziunea religioasă asupra Vieții permite „descifrarea", în ritmul vegetației, a altor semnificații și, în primul rînd, a ideilor de regenerare, de tinerețe veșnică, de sănătate, de nemurire ; ideea religioasă de *realitate absolută* este exprimată simbolic, printre atîtea alte imagini, sub forma unui „fruct miraculos" ce conferă, în același timp, nemurirea, omnisciența și atotputernicia, un fruct susceptibil de a-i transforma pe oameni în zei.

Imaginea arborelui n-a fost aleasă doar pentru a simboliza Cosmosul, ci și pentru a simboliza viața, tinerețea, nemurirea, înțelepciunea. Alături de Arborii cosmici, cum este Yggdrasil din mitologia germanică, istoria religiilor cunoaște Arbori ai Vieții (de ex., Mesopotamia),

ai Nemuririi (Asia, Vechiul Testament), ai în-
țelepciunii (Vechiul Testament), ai Tinereții
(Mesopotamia, India, Iran) etc. [75]. Altfel spus
arborele a reușit să exprime tot ceea ce omul re-
ligios consideră că este *real și sacru prin exce-
lență*, tot ceea ce el știe că zeii posedă prin pro-
pria lor natură, și nu este accesibil, decît rar,
indivizilor privilegiați, eroi și semizei. Astfel,
miturile căutării nemuririi sau a tinereții pun în
evidență un arbore cu fructe de aur sau cu
frunze fermecate, arbore ce se găsește „într-o
țară îndepărtată" (în realitate, lumea de din-
colo) și este apărat de monștri (grifoni, balauri,
șerpi). Pentru a culege fructele, trebuie să în-
frunți monstrul păzitor și să-l ucizi, să fii supus,
deci, unei *încercări inițiatice de tip eroic :* în-
vingătorul obține, „prin violență", condiția su-
praomenească, aproape divină, a tinereții veș-
nice, a invincibilității și atotputerniciei.

Valențele religioase ale vegetației se ex-
primă cu maximum de forță și claritate în ase-
menea simboluri, ale unui Arbore cosmic, al
Nemuririi sau al Înțelepciunii. Altfel spus, ar-
borele sacru sau plantele sacre vădesc o struc-
tură care nu este evidentă la diferitele specii ve-
getale concrete. După cum am remarcat deja,
sacralitatea este aceea care dezvăluie structurile
cele mai profunde ale Lumii. Doar într-o pers-
pectivă religioasă Cosmosul se prezintă ca un
„cifru". Pentru omul religios, ritmurile vege-
tației dezvăluie atît misterul Vieții și al Creației,
cît și pe acela al reînvierii, tinereții și nemuririi.

---

[75] Cf. *Traité d'histoire des religions*, p. 239 și urm.

S-ar putea spune că toți arborii și toate plantele considerate sacre (de ex., arbustul *ashvatha*, în India) își datoresc situația privilegiată faptului că încarnează arhetipul, imaginea exemplară a vegetației. Pe de altă parte, valoarea ei religioasă face ca o plantă să fie îngrijită și cultivată. După unii autori, toate plantele cultivate la ora actuală au fost considerate, la origine, plante sacre [76].

Cultele vegetației nu depind de o experiență profană, „naturistă", în legătură, de exemplu, cu primăvara și trezirea vegetației. Este vorba, dimpotrivă, despre experiența religioasă a reînnoirii (reîncepere, re-creare) a Lumii, care precede și justifică valorizarea primăverii ca reînviere a Naturii. Misterul regenerării periodice a Cosmosului este cel care a conferit importanță religioasă primăverii. De altfel, în cultele vegetației, nu întotdeauna este important fenomenul natural al primăverii și al apariției vegetației, ci semnul prevestitor al misterului cosmic. Grupuri de tineri vizitează, în mod ceremonial, casele satului și *arată* o creangă verde, un buchet de flori, o pasăre [77]. Este *semnul iminentei reînvieri a vieții vegetale*, mărturia că misterul s-a săvîrșit, că primăvara nu va întîrzia. Cea mai mare parte a acestor rituri au loc înaintea „fenomenului natural" al primăverii.

---

[76] A.G. Haudricourt și L. Hédin, *L'Homme et les plantes cultivées* (Paris, 1948), p. 90.

[77] Cf. *Traité d'histoire des religions*, p. 272 și urm.

*Desacralizarea Naturii*

Cum am spus deja, pentru omul religios, Natura nu este niciodată exclusiv „naturală". Experienţa unei Naturi radical desacralizate este o descoperire recentă ; în plus, ea nu este accesibilă decît unei minorităţi a societăţilor moderne, în primul rînd oamenilor de ştiinţă. Pentru ceilalţi, Natura prezintă încă un „farmec", un „mister", o „măreţie" în care se pot descifra urmele vechilor valori religioase. Nu există om modern, oricît ar fi de ateu, care să rămînă insensibil la „farmecele" Naturii. Nu este vorba doar de valorile estetice, sportive sau igienice acordate Naturii, ci şi de un sentiment confuz şi greu de definit, în care încă se mai distinge amintirea unei experienţe religioase degradate.

Nu este lipsit de interes să arătăm, cu ajutorul unui exemplu concret, modificările şi deteriorarea valorilor religioase ale Naturii. Am căutat acest exemplu în China şi aceasta din două motive : 1) în China, la fel ca în Occident, desacralizarea Naturii este opera unei minorităţi, aceea a oamenilor de litere ; 2) totuşi, în China şi în întreg Orientul Îndepărtat, acest proces de desacralizare nu este niciodată dus pînă la capăt. „Contemplarea estetică" a Naturii încă mai păstrează, chiar şi pentru literaţii cei mai sofisticaţi, o importanţă religioasă.

Se ştie că, începînd cu secolul al XVII-lea, aranjarea grădinilor în bazine a devenit o modă pentru învăţaţii chinezi [78]. Era vorba despre bazine umplute cu apă, în mijlocul cărora se înălţau cîteva pietre cu arbori pitici, flori şi, adesea, modele miniaturale de case, pagode, poduri şi figuri umane ; aceste stînci erau denumite în limba anamită „Munţi în miniatură" sau „Munte artificial", în sino-ana-mită. Să remarcăm faptul că înseşi aceste denumiri trădează o semnificaţie cosmologică : Muntele, după cum am văzut, este un simbol al Universului.

Aceste grădini în miniatură, devenite obiecte predilecte ale esteţilor, aveau însă o lungă istorie, o preistorie chiar, în care se exprima un profund sentiment religios al lumii. Precursoarele lor erau bazinele cu apă parfumată, ce reprezenta Marea, şi capacul supra-înălţat, Muntele. *Structura cosmică a acestor obiecte este evidentă.* Elementul mistic era şi el prezent, deoarece Muntele în mijlocul Mării simboliza Insulele Preafericiţilor, un fel de Paradis în care trăiau Nemuritorii taoişti. Este vorba, deci, despre o lume deosebită, o lume în miniatură, instalată la domiciliu pentru a împărtăşi forţele mistice concentrate, *pentru a restabili, prin meditaţie, armonia cu Lumea.* Muntele era prevăzut cu grote, iar folclorul grotelor a jucat un rol important în construirea grădinilor miniaturale. Grotele sînt refugii se-

---

[78] În legătură cu tot ce urmează, cf. Rolf S'ein, *Jardins en miniature d'Extrême-Orient*, („Bulletin de l'Ecole française d'Extrême-Orient", 42, 1942), p. 26 şi urm. şi *passim.*

crete, adăpost al Nemuritorilor taoiști, loc al ini-
țierilor. Ele reprezintă o lume paradiziacă și din
acest motiv intrarea în ele este dificilă (sim-
bolismul „porții strîmte", asupra căruia vom
reveni în capitolul următor).

Tot acest complex : apă, arbore, munte,
grotă, care jucase un rol atît de important în
taoism, nu era decît dezvoltarea unei idei re-
ligioase încă și mai vechi : aceea a spațiului
perfect, *complet* — cuprinzînd un munte și o
întindere de apă — și *retras*. Spațiu perfect,
pentru că este, în același timp, lume în minia-
tură și Paradis, izvor de beatitudine și loc al
Nemuririi. Or, peisajul perfect — munte, în-
tindere de apă — nu era decît „locul sfînt"
imemorial, locul unde, în China, în fiecare pri-
măvară, băieți și fete se întîlneau pentru a
intona cîntece rituale și pentru a se deda la
hîrjoneli amoroase. Ghicim deci valorizările suc-
cesive ale acestui „loc sfînt" primordial. În
timpurile cele mai îndepărtate era un spațiu
privilegiat, o lume închisă sanctificată în care
băieții și fetele se întîlneau periodic pentru a
participa la misterele Vieții și ale fecundității
cosmice. Taoiștii au reluat această schemă cos-
mologică arhaică — munte și întindere de apă
— și au extras din ea un complex mai bogat
(munte, întindere de apă, grotă, arbore), redus
însă la cea mai mică scară : un univers para-
diziac în miniatură, încărcat cu puteri mistice,
deoarece era departe de lumea profană, și în
preajma căruia taoiștii se reculegeau și me-
ditau.

Sanctitatea lumii închise mai poate fi sesizată în bazinele cu apă parfumată şi capac, simbolizînd Marea şi Insulele Preafericiţilor. Acest complex servea şi el pentru meditaţie, precum, la început, grădinile în miniatură, înainte ca voga de care se bucurau printre învăţaţi să pună stăpînire pe ele, în secolul al XVII-lea, pentru a le transforma în „obiecte de artă".

Să remarcăm totuşi în acest exemplu faptul că nu asistăm niciodată la o desacralizare totală a lumii, căci, în Extremul Orient, ceea ce se numeşte „emoţie estetică" încă mai păstrează, chiar şi printre literaţi, o dimensiune religioasă. Exemplul grădinilor miniaturale ne arată însă în ce sens şi cu ce mijloace are loc desacralizarea lumii. Ajunge să ne imaginăm ce a putut să devină, într-o societate modernă, o emoţie estetică de acest fel pentru a înţelege cum poate să se rarefieze şi să se transforme experienţa sanctităţii cosmice, pînă la a deveni doar o emoţie umană, aceea, de exemplu, a artei pentru artă.

### Alte hierofanii cosmice

Din lipsă de spaţiu, n-am vorbit decît despre cîteva aspecte ale sacralităţii Naturii. Un număr considerabil de hierofanii cosmice a trebuit să fie trecute sub tăcere. Astfel, n-am putut vorbi despre simbolurile şi cultele solare sau lunare, nici despre semnificaţia religioasă a pietrelor, nici despre rolul religios al animalelor etc. Fiecare dintre aceste grupări de hierofanii cosmice dezvăluie o structură deosebită a sacralității Naturii sau, mai exact, o modalitate a sacrului exprimată prin intermediul unui mod specific de existență în Cosmos. Ajunge, de exemplu, să analizăm diferitele valori religioase recunoscute pietrelor pentru a înțelege ceea ce pietrele, ca *hierofanii*, sînt susceptibile să le *arate* oamenilor : ele revelează puterea, duritatea, permanența. Hierofania pietrei este o ontofanie prin excelență : înainte de toate, piatra *este*, rămîne mereu ea însăși, nu se schimbă, îl *impresionează* pe om prin ceea ce are ireductibil și absolut și, făcînd aceasta, îi dezvăluie, prin analogie, ireductibilitatea și absolutul Ființei. Surprins printr-o experiență religioasă, modul specific de existență al pietrei îi dezvăluie omului *existența absolută*, dincolo de Timp, invulnerabilă în fața devenirii[79].

O analiză rapidă a multiplelor valorizări religioase ale Lunii ne arată tot ce au citit oamenii în ritmurile lunare. Datorită frazelor lunare, adică datorită „nașterii", „morții", și „reînvierii" lunii, oamenii au devenit conștienți atît de propriul lor mod de a fi în Cosmos, cît și de șansele lor de supraviețuire sau renaștere. Mulțumită simbolului lunar, omul religios a fost pus în situația de a apropia unele de altele vaste ansambluri de fapte, fără legătură aparentă, pentru a le integra, în cele din urmă, într-un singur „sistem". Valorizarea

---

[79] Despre sacralitatea pietrelor, cf. *Traité d'histoire des religions*, p. 191—210.

religioasă a ritmurilor lunare a făcut posibile, probabil, primele mari sinteze antropocosmice ale primitivilor. Datorită simbolismului lunar, au putut fi puse în legătură și solidarizate fapte eterogene, cum ar fi : nașterea, devenirea, moartea, reînvierea : Apele, plantele, femeia, fecunditatea, nemurirea ; tenebrele cosmice, viața prenatală și existența dincolo de mormînt, urmată de o renaștere de tip lunar („lumină ieșind din tenebre") ; țesutul, simbolul „firului Vieții", destinul, temporalitatea, moartea etc. În general, majoritatea ideilor de ciclu, de dualism, de polaritate, de opoziție, de conflict, dar și de reconciliere a contrariilor de *coincidentia oppositorum*, au fost fie precizate datorită simbolismului lunar, fie descoperite. Se poate vorbi despre o „metafizică a Lunii", în sensul unui sistem coerent de „adevăruri", privitoare la modul de a fi specific viețuitoarelor, tuturor elementelor care, în Cosmos, participă la Viață, adică la devenire, la creștere și descreștere, la „moarte" și „reînviere". Nu trebuie să uităm că ceea ce-i dezvăluie Luna omului religios nu este numai faptul că Moartea e indisolubil legată de Viață, ci mai ales că *Moartea nu este definitivă, că este mereu urmată de o nouă naștere*[80].

Luna valorizează religios devenirea cosmică și-l reconciliază pe om cu Moartea, Soarele, dimpotrivă, dezvăluie un alt mod de existență : el nu participă la devenire ; mereu în mișcare, el rămîne neschimbat, forma lui este mereu aceeași. Hierofaniile solare traduc valorile reli-

---

[80] Vezi *Traité d'histoire des religions*, p. 142—167.

gioase ale autonomiei și forței, ale suveranității, ale înțelepciunii. Din acest motiv, în anumite culturi asistăm la un proces de solarizare a Ființelor supreme. După cum am văzut, zeii celești tind să dispară din actualitatea religioasă, dar în unele cazuri structura și importanța lor supraviețuiesc încă în zeii solari, mai ales în civilizațiile foarte elaborate, care au jucat un rol istoric important (Egipt, Orientul elenistic, Mexic).

Un mare număr de mitologii eroice sînt de structură solară. Eroul este asimilat Soarelui ; ca și acesta, eroul luptă împotriva tenebrelor, coboară în ținutul Morții și iese de acolo victorios. Aici, tenebrele nu mai sînt, ca în mitologiile lunare, unul din modurile de a fi ale divinității, ci simbolizează tot ce Zeul *nu este*, deci Adversarul prin excelență. Tenebrele nu mai sînt valorizate ca o fază necesară a Vieții cosmice ; din perspectiva religiei solare, tenebrele se opun Vieții, formelor și înțelegerii. Epifaniile luminoase ale zeilor solari devin, în anumite culturi, semnul înțelegerii. *Soarele și înțelegerea* vor sfîrși prin a fi asimilate în asemenea măsură încît teologiile solare sincretiste de la sfîrșitul antichității se transformă în filozofii raționaliste : Soarele este declarat înțelegerea Lumii, iar Macrobiu identifică, în Soare, pe toți zeii lumii greco-orientale, de la Apollo și Jupiter pînă la Osiris, Horus și Adonis (*Saturnalii.* I, cap, XVII-XVIII). În tratatul *Despre Soarele Rege* al împăratului Iulian, la fel ca în *Imn Soarelui*, al lui Proclus, hierofaniile solare cedează locul unor *idei*, iar religiozitatea dispare aproape total în urma acestui îndelungat proces de raționalizare[81].

Această desacralizare a hierofaniilor solare se înscrie printre multe alte procese analoage, datorită cărora întreg Cosmosul sfîrșește prin a fi golit de conținuturile lui religioase. Dar, cum am spus, secularizarea definitivă a Naturii nu este un lucru dobîndit decît pentru un număr limitat de moderni : cei lipsiți de orice sentiment religios. Creștinismul a putut aduce modificări profunde și radicale în valorizarea religioasă a Cosmosului și a Vieții, pe care nu le-a respins. Faptul că viața cosmică, în totalitatea ei, încă mai poate fi simțită ca un cifru al divinității ni-l dovedește un scriitor creștin ca Léon Bloy, atunci cînd scrie : ,,Fie că Viața este în oameni, în animale sau în plante, ea tot Viață se cheamă că este, iar cînd sosește clipa, punctul imperceptibil numit moarte, tot Iisus este cel care se retrage, atît din arbore, cît și dintr-o ființă umană"[82].

---

[81] Vezi, în legătură cu toate acestea, *Traité d'histoire des religions*, p. 117—141.

[82] *Le Mendiant ingrat*, II, p. 196.

## CAPITOLUL IV

# EXISTENȚĂ UMANĂ ȘI VIAȚĂ SANCTIFICATĂ

## *Existență „deschisă" spre Lume*

Scopul ultim al istoricului religiilor este acela de a înțelege — și a lămuri pentru ceilalți — comportamentul lui *homo religiosus* și universul mental al acestuia. Întreprinderea nu este întotdeauna ușoară. Pentru lumea modernă, religia, ca formă de viață și *Weltanschauung*, se confundă cu creștinismul. Un intelectual occidental are, cu un anumit efort, oarecare șanse de a se familiariza cu viziunea religioasă a antichității clasice și chiar cu anumite mari religii orientale, cum ar fi hinduismul, confucianismul sau budismul. Un asemenea efort de lărgire a orizontului religios, oricît de lăudabil în sine, nu-l duce însă prea departe : prin Grecia, India, China, intelectualul occidental nu depășește sfera religiilor complexe și elaborate, dispunînd de o vastă literatură sacră scrisă. A cunoaște o parte din aceste literaturi sacre, a te familiariza cu cîteva mitologii și teologii orientale sau ale lumii clasice nu este însă suficient pentru a reuși să pătrunzi în universul mental al lui *homo religiosus*. Aceste mitologii și teologii sînt prea marcate de munca îndelungată a învățaților ; chiar dacă, la drept vorbind, nu constituie „religii ale Cărții" (cum sînt iudaismul, zoroastrismul, creștinismul, is-

lamismul), ele posedă cărţi sacre (India, China)
sau, cel puţin, au suferit influenţa unor autori
de prestigiu (de ex. Homer, în Grecia).

Pentru a avea o mai vastă perspectivă
religioasă, este mai util să ne familiarizăm cu
foclorul popoarelor europene : în credinţele,
obiceiurile, comportamentul lor în faţa vieţii şi
a morţii se mai pot recunoaşte numeroase „si-
tuaţii religioase" arhaice. Studiind societăţile
rurale europene, avem şanse să înţelegem lu-
mea religioasă a agricultorilor neolitici. În
multe cazuri, obiceiurile şi credinţele ţăranilor
europeni reprezintă un stadiu de cultură mai
arhaic decît cel atestat de mitologiile Greciei
clasice[83]. Este adevărat că majoritatea acestor
populaţii rurale din Europa au fost creştinate
de mai bine de un mileniu. Ele au reuşit însă să
integreze în creştinismul lor o mare parte a
moştenirii religioase precreştine, dintr-o anti-
chitate imemorială. Ar fi inexact să credem că,
din acest motiv, ţăranii din Europa nu sînt creş-
tini. Trebuie însă recunoscut faptul că religio-
zitatea lor nu se reduce la formele istorice ale
creştinismului, că ea păstrează o structură cos-
mică, cu totul absentă din experienţa creştini-
lor de la oraşe. Se poate vorbi despre creş-
tinism primordial, „aistoric ; creştinîndu-se,
agricultorii europeni au integrat în noua lor cre-
dinţă religia cosmică pe care o păstrau din
preistorie.

---

[83] Ceea ce rezultă, de exemplu, din cercetările lui
Leopold Schmidt, *Gestaltheiligkeit im bäuerlichen Arbeits-
mythos* (Viena, 1952).

Pentru istoricul religiilor, dornic să înțeleagă și să facă înțeleasă totalitatea situațiilor existențiale ale lui *homo religiosus*, problema este însă mai complexă. Dincolo de hotarele culturilor agricole se întinde o întreagă lume : lumea cu adevărat „primitivă" a păstorilor nomazi, a vînătorilor, a populațiilor aflate încă în stadiul vînării animalelor mici și al culesului Pentru a cunoaște universul mental al lui *homo religiosus*, trebuie să ținem seama mai ales de oamenii acestor societăți primitive. Or, comportamentul lor religios ni se pare, astăzi, excentric, dacă nu de-a dreptul aberant ; el este, în orice caz, destul de greu de surprins. Nu există, însă, alt mijloc de a înțelege un univers mental străin decît situîndu-se *înăuntru*, în chiar miezul lui, pentru a ajunge, de acolo, la toate valorile pe care le implică.

Îndată ce ne repunem în perspectiva omului religios al societăților arhaice, constatăm că *Lumea există pentru că a fost creată de zei* și că însăși existența ei „vrea să spună" ceva ; că Lumea nu este nici mută, nici opacă, nu este un lucru inert, lipsit de noimă sau semnificație. Pentru omul religios, Cosmosul „trăiește" și „vorbește". Însăși viața Cosmosului este o dovadă a sfințeniei lui — fiindcă a fost creat de zei, iar zeii se arată oamenilor prin viața cosmică.

Din acest motiv, pornind de la un anumit stadiu de cultură, omul se concepe ca un microcosmos. El face parte din Creația zeilor ; altfel spus, regăsește în sine însuși „sfințenia" pe care o recunoaște în Cosmos. Rezultă, de aici,

că viața sa este omologată cu viața cosmică ;
fiind o operă divină, aceasta devine imaginea
exemplară a existenței umane. Iată cîteva exem-
ple : așa cum s-a văzut, căsătoria este valorizată
ca o hierogamie între Cer și Pămînt. La agri-
cultori, însă, omologarea Pămînt-Femeie este
și mai complexă. Femeia este asimilată cu glia,
semințele cu *semen-ul viril*, iar munca agricolă,
cu unirea conjugală. „Această femeie a venit ca
un pămînt viu și roditor : semănați în ea, băr-
bați, sămînța ! " stă scris în *Atharva Veda* (XIV,
II, 14). „Femeile voastre sînt, pentru voi, cîm-
puri" (*Coranul*, II, 225). O regină sterilă se la-
mentează astfel : „Sînt ca un cîmp pe care nu
rodește nimic !" Dimpotrivă, într-un imn din
secolul al XII-lea, Fecioara Maria este glorifi-
cată ca *terra non arabilis quae fructum parturiit*.

Să încercăm să înțelegem situația exis-
tențială a aceluia pentru care toate aceste omo-
logări sînt experiențe *trăite*, nu doar *idei*. Este
evident că viața lui cunoaște o dimensiune în
plus : ea nu este numai umană, ci, în același
timp, „cosmică", deoarece are o structură trans-
umană. Am putea s-o numim, „existență des-
chisă", pentru că nu este strict limitată la modul
de a fi al omului. (Știm, de altfel, că primitivul
își situează propriul model ce trebuie atins pe
planul transuman dezvăluit de mituri.) Exis-
tența lui *homo religiosus*, mai ales a primitivu-
lui, este „deschisă" spre Lume ; trăind, omul re-
ligios nu este niciodată singur, o parte a lumii
trăiește în el. Nu se poate spune, o dată cu He-
gel, că omul primitiv este „cufundat în Natură",

că nu s-a regăsit încă în calitate de ființă deosebită de Natură, ca ființă prin sine însăși. Hindusul care, îmbrățișîndu-și soția, declară că ea este Pămîntul și că el este Cerul este deplin conștient și de propria sa umanitate, și de aceea a soției sale. Agricultorul austral-asiatic ce desemnează cu același termen, *lak*, falusul și sapa și, ca atîția alți cultivatori, asimilează semințele cu *semen-ut viril*, știe foarte bine că sapa este o unealtă pe care și-a făurit-o el și că, lucrîndu-și cîmpul, efectuează o muncă agricolă ce comportă un anumit număr de cunoștințe tehnice. Altfel spus, simbolismul cosmic *adaugă* o nouă valoare unui obiect sau unei acțiuni, fără să lezeze prin aceasta valorile lor specifice și imediate. O existență ,,deschisă" spre Lume nu este o existență inconștientă, cufundată în Natură. ,,Deschiderea" spre Lume îl face pe omul religios capabil să se cunoască cunoscînd Lumea, iar această cunoaștere este prețioasă pentru el, pentru că este ,,religioasă", pentru că se referă la Ființă.

### Sanctificarea Vieții

Exemplul citat mai sus ne ajută să înțelegem perspectiva în care se situează omul societăților arhaice : pentru el, viața în totalitatea ei este susceptibilă de a fi sanctificată. Mijloacele prin care se obține sanctificarea sînt multiple, dar rezultatul este aproape întotdeauna același : viața este trăită pe un dublu plan : se desfășoară ca existență umană și, în același timp, participă la o viață transumană, aceea a Cosmosului sau a zeilor. Presupunerea că, într-un trecut foarte îndepărtat, toate organele și experiențele fiziologice ale omului, toate gesturile sale aveau o semnificație religioasă este întemeiată. E și firesc să fie așa, deoarece toate comportamentele umane au fost inaugurate de zeii sau Eroii civilizatori *in illo tempore* : aceștia au fundat nu numai diferitele munci sau diferitele feluri de a te hrăni, de a face dragoste, de a te exprima etc., dar chiar și gesturile aparent lipsite de importanță. În miturile australienilor karadjeri, cei doi Eroi civilizatori au luat o poziție specială pentru a urina, iar populația karadjeri imită pînă astăzi acest gest exemplar[84]. Este inutil să mai amintim că la nivelul experienței profane a vieții nu întîlnim nimic asemănător. Pentru omul areligios, toate experiențele vitale, atît sexualitatea, cît și alimentația, munca și jocul au fost desacralizate. Altfel spus, toate aceste acte fiziologice sînt lipsite de semnificație spirituală și, prin urmare, de dimensiunea cu adevărat umană.

În afara acestei semnificații religioase, pe care actele fiziologice o primesc prin imitarea modelelor divine, organele și funcțiile pe care acestea le îndeplinesc au fost valorizate religios prin asimilarea lor cu diferite regiuni și fenomene cosmice. Am întîlnit deja un exemplu clasic : femeia asimilată cu glia și cu Pămîntul-Mamă, actul sexual asimilat cu hiero-

[84] Cf. Ralph Piddington, *Karadjeri Initiation* („Oceania", III, 1932—1933, p. 46—87).

gamia Cer-Pămînt şi cu semănatul. Numărul unor asemenea omologări între om şi Univers este însă considerabil. Unele par să se impună spontan spiritului, cum ar fi, de exemplu, omologarea ochiului cu Soarele, sau a celor doi ochi cu Soarele şi Luna, sau a calotei craniene cu Luna plină ; sau asimilarea respiraţiei cu vîntul, a oaselor cu pietrele, a părului cu ierburile etc.

Istoricul religiilor întîlneşte însă şi alte omologări, care implică un simbolism mai elaborat, un întreg sistem de corespondenţe micro-macrocosmice. De pildă, asimilarea pîntecelui sau a uterului cu grota, a intestinelor cu labirinturile, a respiraţiei cu ţesutul, a venelor şi arterelor cu Soarele şi Luna, a coloanei vertebrale cu *Axis mundi* etc. Desigur, toate aceste omologări între corpul uman şi macrocosmos nu sînt atestate la primitivi. Anumite sisteme de corespondenţe Om-Univers n-au cunoscut o elaborare completă decît în marile culturi (India, China, Orientul Apropiat antic, America Centrală). Totuşi, punctul lor de plecare se găseşte deja în culturile arhaice. Se întîlnesc, la primitivi, sisteme de omologare antropocosmică de o extraordinară complexitate, demonstrînd o capacitate inepuizabilă de speculaţie. Este, de exemplu, cazul dogonilor din vechea Africă Occidentală Franceză [85].

Or, aceste omologări antropocosmice ne interesează mai ales în măsura în care ele sînt „cifrul" diferitelor situaţii existenţiale.

---

[85] Vezi Marcel Griaule, *Dieu d'Eau. Entretiens avec Ogotemmêli* (Paris, 1948).

Spuneam că omul religios trăieşte într-o lume
„deschisă" şi că, pe de altă parte, existenţa lui
este „deschisă" spre Lume. Aceasta vrea să
însemne că omul religios este sensibil la o serie
nesfîrşită de experienţe, pe care le-am putea
numi „cosmice". Asemenea experienţe sînt în-
totdeauna religioase, pentru că Lumea este
sacră. Pentru a reuşi să le înţelegem, trebuie
să ne amintim că principalele funcţii fiziologice
sînt susceptibile să devină sacramente. Se mă-
nîncă în mod ritual, iar hrana este valorizată
în mod diferit, în funcţie de diferitele religii
şi culturi : alimentele sînt considerate fie sa-
cre, fie un dar al divinităţii, fie o ofrandă adusă
zeilor trupului (cum este cazul în India, de
exemplu). Viaţa sexuală, cum am văzut, este şi
ea ritualizată şi, prin urmare, omologată atît
cu fenomenele cosmice (ploaie, însămînţare),
cît şi cu actele divine (hierogamia Cer-Pămînt).
Căsătoria este valorizată, uneori, pe un triplu
plan : individual, social şi cosmic. La populaţia
omaha, de exemplu, satul este împărţit în două
jumătăţi numite Cer, respectiv Pămînt. Căsă-
toriile nu se pot face decît între cele două ju-
mătăţi exogame şi fiecare nouă căsătorie repetă
*hieros gamos-ul* primordial : unirea dintre
Pămînt şi Cer[86].

    Asemenea omologări antropocosmice
şi mai ales sacramentalizarea consecutivă a
vieţii fiziologice şi-au păstrat întreaga vitali-
tate, chiar şi în religiile foarte evoluate. Să ne
limităm la un singur exemplu : unirea sexuală

---

[86] Vezi Werner Müller, *Die blaue Hütte*, (Wies-
baden, 1954), p. 115 şi urm.

ca act ritual ; să amintim că ea a avut o im-
portanţă considerabilă în tantrismul indian.
India ne arată, cu strălucire, cum poate fi trans-
format un act fiziologic în ritual şi cum,
odată depăşită epoca ritualistă, acelaşi act poate
fi valorizat ca „tehnică mistică". Exclamaţia
soţului din *Brhad-āranyaka-Upanishad* : „Eu
sînt Cerul, tu eşti Pămîntul !" este o conti-
nuare a transfigurării prealabile a soţiei sale
pe altarul sacrificiilor vedice (VI, IV, 3). În tan-
trism, femeia sfîrşeşte însă prin a o întrupa
pe *Prakriti* (Natura) şi pe Zeiţa cosmică Şahti,
în timp ce bărbatul se identifică cu Şiva, Spi-
ritul pur, imobil şi senin. Unirea sexuală (*mait-
huna*) este, înainte de toate, o integrare a
acestor două principii, Natura-Energie cosmică
şi Spiritul. După cum se exprimă un text tan-
tric : „Adevărata unire sexuală este unirea su-
premei Şahti cu Spiritul (*ātman*) ; celelalte nu
exprimă decît raporturi carnale cu femeile" *Kū-
lārnava Tantra*, V, 111—112). Nu mai este vorba
de un act fiziologic, ci de un rit mistic ; parte-
nerii nu mai sînt fiinţe umane, ei sînt „detaşaţi"
şi liberi ca nişte zei. Textele tantrice subliniază
cu perseverenţă că este vorba despre o transfi-
gurare a experienţei carnale. „Prin aceleaşi
acte care-i fac pe anumiţi oameni să ardă în
Infern timp de milioane de ani, yoghinul obţine
salvarea eternă" [87]. *Brhad-āranyaka-Upanishad*
(V, XIV, 8) afirmă deja : „Cel care ştie aceasta,
indiferent de păcatul pe care-l comite, este
pur, veşnic tînăr, nemuritor". Cu alte cuvinte,

---

[87] Vezi textele din cartea noastră *Le Yoga. Immor-
talité et Liberté* (Paris, 1954), p. 264, 395.

„cel care ştie" dispune de o cu totul altă experienţă decît profanul. Aceasta înseamnă că orice experienţă umană este susceptibilă de a fi transfigurată, trăită pe un alt plan, transuman.

Exemplul indian ne arată la ce rafinament „mistic" poate să ajungă sacramentalizarea organelor şi a vieţii fiziologice, sacramentalizare atestată din plin la toate nivelele arhaice de cultură. Să adăugăm faptul că valorizarea sexualităţii ca mijloc de participare la sacru (în cazul Indiei, atingerea stării supraomeneşti de libertate absolută) nu este lipsită de pericole. Chiar şi în India, tantrismul a prilejuit ceremonii aberante şi ignobile. În alte părţi, în lumea primitivă, sexualitatea rituală s-a asociat cu diverse forme organistice. Exemplul păstrează totuşi o valoare sugestivă prin faptul că ne dezvăluie o experienţă care nu mai este accesibilă într-o societate desacralizată : experienţa unei vieţi sexuale sanctificate.

### Corp-casă-Cosmos

Am văzut că omul religios trăieşte într-un Cosmos „deschis" şi că este „deschis" Lumii. Prin aceasta, trebuie înţeles că : a) este în legătură cu zeii ; b) participă la sfinţenia Lumii. Am avut ocazia să constatăm, analizînd structura spaţiului sacru, că omul religios nu poate trăi decît într-o lume „deschisă" : omul doreşte să se situeze într-un „Centru", acolo unde există posibilitatea de a comunica cu zeii.

Locuinţa sa este un microcosmos ; corpul său, de asemenea. Omologarea casă-corp-Cosmos se impune de îndată. Să insistăm puţin asupra acestui exemplu, care ne arată în ce sens valorile societăţii arhaice sînt susceptibile să fie reinterpretate de religii, iar apoi de filozofiile ulterioare.

Gîndirea religioasă indiană a folosit din plin această omologare tradiţională, casă-Cosmos-corp uman, şi se înţelege de ce : corpul, ca şi Cosmosul, este, în ultimă instanţă, o „situaţie", un sistem de condiţionări pe care ni-l asumăm. Coloana vertebrală este asimilată cu Coloana cosmică *(skambha)* sau cu Muntele Meru, respiraţia este identificată cu vînturile, buricul sau inima cu „Centrul Lumii" etc. Omologarea se face însă şi între corpul omenesc şi ritual, în ansamblul lui : locul sacrificiului, uneltele şi gesturile sacrificiale sînt asimilate cu diferite organe şi funcţii fiziologice. Corpul uman, omologat ritual cu Cosmosul sau cu altarul vedic (care este o *imago mundi)* este, de asemenea, asimilat cu o casă. Un text hathayoghin vorbeşte despre corp ca despre „o casă cu o coloană şi nouă uşi" *(Goraksha Shataka,* 14).

Într-un cuvînt, acceptînd conştient situaţia exemplară căreia îi este într-un fel predestinat, omul se „cosmicizează" ; el reproduce la scară umană sistemul condiţionărilor reciproce şi al ritmului ce caracterizează şi constituie o „lume" care, în esenţă, defineşte orice univers. Omologarea este valabilă şi în sens contrar : la rîndul lor, templul sau casa

sînt considerate un corp uman. „Ochiul" do-
mului este un termen frecvent în mai multe
tradiții arhitecturale[88]. Este însă important de
subliniat următorul fapt : fiecare dintre aceste
imagini echivalente — Cosmos, casă, corp
uman — prezintă sau este susceptibilă să pri-
mească o „deschidere" superioară care să facă
posibilă trecerea dintr-o lume într-alta. Orifi-
ciul superior al unui turn indian poartă, prin-
tre altele, numele de *brahmarandhra*. Or, acest
termen desemnează „deschizătura" din vîrful
creștetului și care joacă un rol capital în teh-
nicile yoghino-tantrice ; tot pe acolo zboară și
sufletul, în clipa morții. Să amintim, în legă-
tură cu aceasta, obiceiul de a sparge craniul
yoghinilor morți pentru a ușura plecarea su-
fletului[89].

Acest obicei indian își are replica în
credința, larg răspîndită în Europa și Asia, că
sufletul mortului iese prin horn (gaura pentru
fum) sau prin acoperiș și îndeosebi prin partea
acoperișului aflată deasupra „colțului sacru"[90].
În cazul unei agonii prelungite, se îndepăr-
tează una sau mai multe scînduri ale acoperi-
șului, care poate fi chiar doborît. Semnificația
acestui obicei este evidentă : *sufletul se va des-*

---

[88] Cf. Ananda K. Coomaraswami, *Symbolism of the Dome* („Indian Historical Quarterly", XIV, 1938, p. 1—56), p. 34 și urm.

[89] M. Eliade, *Le Yoga*, p. 400 ; vezi, de asemenea, A. K. Coomaraswami, *Symbolism of the Dome*, p. 53, n. 60.

[90] Porțiune de spațiu sanctificat care, în anumite tipuri de locuințe euroasiatice, corespunde stîlpului central și îndeplinește, prin urmare, rolul „Centrului Lumii". Vezi C. Ränk, *Die Heilige Hinterecke im Hauskult der Völker Nordosteuropas und Nordasiens* (Helsinki, 1949).

prinde mai uşor de trup dacă această altă imagine a corpului-Cosmos, care e casa, este deschisă în partea superioară. Evident, toate aceste experienţe sînt inaccesibile omului areligios, nu numai pentru că, la acesta din urmă, moartea a fost desacralizată, ci şi pentru că el nu mai trăieşte într-un Cosmos propriu-zis şi nu-şi mai dă seama de faptul că a avea un „corp" şi a te instala într-o casă echivalează cu asumarea unei situaţii existenţiale în Cosmos (vezi în continuare).

Faptul că vocabularul mistic indian a păstrat omologarea om-casă şi îndeosebi asimilarea craniului cu acoperişul sau cupola este remarcabil. Experienţa mistică fundamentală, adică depăşirea condiţiei umane, este exprimată printr-o dublă imagine : spargerea acoperişului şi zborul prin aer. Textele budiste vorbesc despre arhaţi care „zboară prin aer, spărgînd acoperişul palatului", care, „zburînd prin propria lor voinţă, sparg şi traversează acoperişul casei şi plutesc prin aer" etc.[91]. Aceste formule se pretează la o dublă interpretare : pe planul experienţei mistice, e vorba de „extaz", deci de zborul sufletului prin brahmarandhra ; pe plan metafizic, e vorba de abolirea lumii supuse condiţionărilor. Cele două semnificaţii ale zborului arhaţilor exprimă însă ruptura de nivel ontologic şi trecerea de la un mod de a fi la altul sau, mai exact, trecerea de la existenţa

---

[91] Cf. M. Eliade, *Mythes, rêves et mystères*, p. 133 şi urm.

condiționată la un mod de a fi necondiționat, adică de totală libertate.

În majoritatea religiilor arhaice, ,,zborul" înseamnă accesul la un mod de a fi supraomenesc (Zeu, magician, ,,spirit"), în ultimă analiză, libertatea de a te mișca în voie, deci dobîndirea condiției ,,spiritului". Pentru gîndirea indiană, arhatul care ,,sparge acoperișul casei" și zboară prin aer ilustrează faptul că a transcendat Cosmosul și a intrat într-un mod de a fi paradoxal, de necuprins cu mintea, acela al libertății absolute (indiferent ce nume i s-ar da : *nirvāna, asamshrta, samādhi, sahaja* etc.). Pe plan mitologic, gestul exemplar al transcenderii Lumii este ilustrat de Buddha, care declară că a ,,spart" Oul cosmic, ,,cochilia ignoranței", și a obținut ,,preafericita, universala demnitate a lui Buddha"[92].

Acest exemplu ne dezvăluie importanța perenității simbolismelor arhaice referitoare la locuința umană. Aceste simbolisme exprimă situații religioase primordiale, dar sînt susceptibile să-și modifice valorile, îmbogățindu-se cu semnificații noi și integrîndu-se în sisteme de gîndire din ce în ce mai articulate. Se ,,locuiește" în corp în același fel cum se locuiește într-o casă sau în Cosmosul pe care ți-l creezi tu însuți (cf. cap. I). Orice situație legală și permanentă implică inserarea într-un Cosmos, într-un Univers perfect organizat, imitat după modelul exemplar, Creația. Teritoriul

---

[92] *Suttavibhanga, Pārājika,* I. I, 4, comentat de Paul Mus, *La Notion du temps réversible dans la mythologie bouddhique* (Melun, 1939), p. 13.

locuit, templul, casa, corpul sînt, cum am văzut, Cosmosuri, fiecare însă potrivit felului său de a fi. Toate aceste Cosmosuri păstrează o „deschizătură", oricare ar fi cuvîntul ales de diferitele culturi („ochiul" Templului, hornul, gaura pentru fum, *brahmarandhra* etc.). Într-un fel sau altul, Cosmosul locuit — corp, casă, teritoriu tribal, lumea aceasta în întregul ei — comunică prin partea de sus cu un alt nivel, care-i este transcendent.

    Se întîmplă ca într-o religie acosmică, precum aceea a Indiei de după budism, deschiderea spre planul superior să nu mai exprime trecerea de la condiţia umană la condiţia supraumană, ci transcenderea, abolirea Cosmosului, libertatea absolută. Diferenţa dintre semnificaţia filozofică a „oului spart" de către Buddha sau a „acoperişului" sfărîmat de arhaţi şi simbolismul arhaic al trecerii de la Pămînt la Cer de-a lungul lui *Axis mundi* sau prin orificiul pentru fum este enormă. Rezultă că, atît filozofia, cît şi mistica indiană au ales, de preferinţă, dintre simbolurile care puteau să semnifice ruptura ontologică şi transcenderea, această imagine primordială a spargerii acoperişului. Depăşirea condiţiei umane se traduce prin distrugerea „casei", adică a Cosmosului personal pe care ţi-ai ales să-l locuieşti. Orice „locuinţă stabilă" în care eşti „instalat" echivalează, pe plan filozofic, cu o situaţie existenţială pe care ţi-ai asumat-o. Imaginea spargerii acoperişului semnifică abolirea *oricărei* „*situări*", alegerea, nu a *instalării în lume*, ci a libertăţii absolute, care, pentru gîndirea indiană, implică distrugerea oricărei lumi supuse condiţionărilor.

Nu mai este necesar să insistăm asupra valorilor acordate de un contemporan de-al nostru nereligios corpului *său*, casei *sale*, universului *său*, pentru a măsura distanţa enormă ce-l desparte de oamenii aparţinînd culturilor primitive şi orientale la care ne-am referit mai sus. Tot astfel cum locuinţa omului modern şi-a pierdut valorile cosmologice, corpul său este lipsit de orice semnificaţie religioasă sau spirituală. Pe scurt, s-ar putea spune că, pentru modernii lipsiţi de religiozitate, Cosmosul a devenit opac, inert, mut : el nu mai transmite nici un mesaj, nu este purtătorul nici unui „cifru". Sentimentul sfinţeniei Naturii supravieţuieşte astăzi în Europa mai ales la populaţiile rurale, pentru că acolo subzistă un creştinism trăit ca liturghie cosmică.

Cît despre creştinismul societăţilor industriale, îndeosebi cel al intelectualilor, el şi-a pierdut de mult valorile cosmice pe care încă le mai poseda în evul mediu — şi aceasta nu pentru că creştinismul urban ar fi obligatoriu „degradat" sau „inferior", ci fiindcă sensibilitatea religioasă a populaţiilor urbane este grav sărăcită. Liturghia cosmică, misterul participării Naturii la drama cristologică au devenit inaccesibile creştinilor care trăiesc într-un oraş modern. Experienţa lor religioasă nu mai este „deschisă" spre Cosmos. Este o experienţă strict personală, mîntuirea este o problemă între om

și Dumnezeul său ; în cel mai bun caz, omul
se recunoaște responsabil nu numai în fața lui
Dumnezeu, ci și a Istoriei. Raporturile sînt
însă următoarele : om-Dumnezeu-Istorie, Cos-
mosul negăsindu-și nici un loc, ceea ce permite
să presupunem că, pînă și pentru un creștin
autentic, Lumea nu mai este simțită ca operă
a lui Dumnezeu.

### Trecerea prin Ușa strîmtă

Ceea ce am spus mai sus în legătură
cu simbolismul corp-casă și omologările antro-
pocosmice care-i sînt solidare este departe de
a epuiza extraordinara bogăție a subiectului
— a trebuit să ne limităm doar la cîteva dintre
multiplele lui aspecte. „Casa" — în ace-
lași timp *imago mundi* și replică a corpu-
lui omenesc — joacă un rol considera-
bil în ritualuri și mitologii. În anumite cul-
turi (China preistorică, Etruria etc.), urnele
funerare sînt modelate în formă de casă și pre-
zintă o deschizătură superioară ce permite
sufletului mortului să intre și să iasă[93]. Urna-
casă devine, într-un fel, noul „corp" al răposa-
tului. Tot dintr-o căsuță, în formă de capișon,
iese și Strămoșul mitic și tot într-o asemenea
casă-urnă-capișon se ascunde Soarele în timpul
nopții, spre a ieși de acolo dimineața[94]. Există
deci o corespondență structurală între dife-

---

[93] C. Hentze, *Bronzegerät, Kultbauten, Religion im
ältesten China der Chang-Zeit* (Anvers, 1951), p. 49 și urm. ;
id., în *Sinologica*, III, 1953, p. 229—239 (și fig. 2—3).
[94] C. Hentze. *Tod, Auferstehung, Weltordnung. Das
mythische Bild im ältesten China* (Zürich, 1955), p. 47 și urm.
și fig. 24—25.

ritele modalități de *trecere* : de la întuneric
la lumină (Soare), de la preexistența unei rase
umane la manifestarea ei (Strămoșul mitic), de
la Viață la Moarte și la noua existență *post
mortem* (sufletul).

Am subliniat, în repetate rînduri, că
orice formă de „Cosmos" — Universul. Tem-
plul, casa, corpul omenesc — este înzestrată cu
o „deschizătură" superioară. Se înțelege mai
bine, acum, semnificația acestui simbolism : des-
chizătura face posibilă *trecerea* de la un mod de
a fi la altul, de la o situație existențială la alta.
Orice existență cosmică este predestinată „tre-
cerii" : omul trece de la previață la viață și în
cele din urmă la moarte, tot așa cum Strămoșul
mitic a trecut de la preexistență la existență, iar
Soarele de la întuneric la lumină. Să remarcăm
faptul că acest tip de „trecere" se înscrie în-
tr-un sistem mai complex, ale cărui articulații
principale le-am examinat atunci cînd am vor-
bit despre Lună ca arhetip al devenirii cosmice,
despre vegetație ca simbol al reînnoirii univer-
sale și mai ales despre modalitățile diferite de
a repeta ritual cosmogonia, adică *trecerea*
exemplară de la virtual la formal. S-ar cuveni
să precizăm că toate aceste ritualuri și simbo-
lisme ale „trecerii" exprimă o concepție spe-
cifică despre existența umană : odată născut,
omul nu este încă desăvîrșit ; el trebuie să se
nască a două oară, spiritual ; devine om com-
plet doar trecînd de la o stare imperfectă, em-
brionară, la starea perfectă de adult. Într-un
cuvînt, se poate spune că existența umană
ajunge la plenitudine printr-o serie de  rituri

ale trecerii, printr-o sumă de inițieri succesive.
Vom reveni mai tîrziu asupra sensului
și funcției inițierii. Să ne oprim, pentru mo-
ment, la simbolismul „trecerii", așa cum îl
descrifrează omul religios în mediul care-i este
familiar și în viața cotidiană : în casa lui, de
exemplu, în drumurile pe care le urmează pen-
tru a merge la muncă, în podurile peste care
trece etc. Acest simbolism este prezent în însăși
structura locuinței. Deschizătura superioară
semnifică, așa cum am văzut, direcția ascensi-
onală către Cer, dorința de transcendență. *Pra-
gul* concretizează atît delimitarea dintre „afară"
și „înăuntru", cît și posibilitatea de a trece de la
o zonă la alta (de la profan la sacru ; cf. cap I).
Dar mai ales imaginile *podului* și ale *ușii
strîmte* sînt cele care sugerează ideea trecerii
periculoase și care, din acest motiv, abundă în
ritualurile și mitologiile inițiatice și funerare.
Inițierea, la fel ca moartea, ca extazul mistic,
ca și cunoașterea absolută, ca și credința, în
iudeo-creștinism, echivalează cu o trecere de la
un mod de a fi la altul și realizează o adevărată
mutație ontologică. Pentru a sugera această
trecere paradoxală (ea implică întotdeauna o
ruptură și o transcendență), diferitele tradiții
religioase au folosit din abundență simbolismul
Podului periculos sau al Ușii strîmte. În mito-
logia iraniană, Podul Cinvat este trecut de ră-
posați în călătoria lor *post mortem :* pentru
cei drepți, el are lățimea cît nouă lungimi de
lance, dar pentru cei nelegiuiți devine îngust ca
„lama unui brici" *(Dînkart,* IX, XX, 3). Sub

Podul Cinvat se deschide groapa adîncă a Infernului (*Vidêvdat*, III, 7) Tot pe acest Pod trec misticii în călătoria lor extatică spre Cer : pe acolo, de exemplu, a urcat, în spirit, Ardâ Vîrâf[95].

*Viziunea Sfîntului Pavel* ne arată un pod ,,îngust ca un fir de păr" , care uneşte lumea noastră şi Paradisul. Aceeaşi imagine se întîlneşte la scriitorii şi misticii arabi : podul este ,,mai subţire ca un fir de păr" şi uneşte Pămîntul cu sferele astrale şi cu Paradisul. Tot astfel, în tradiţiile creştine păcătoşii incapabili să-l treacă sînt azvîrliţi în Infern. Legendele medievale vorbesc despre un ,,pod ascuns sub apă" şi despre un pod-sabie, pe care eroul (Lancelot) trebuie să-l treacă desculţ şi cu mînile goale : acest pod are tăişul ,,mai ascuţit decît o seceră", iar trecerea se face ,,în suferinţă şi agonie" : În tradiţia finlandeză, un pod acoperit cu ace, cuie, lame de brici, traversează Infernul : atît morţii cît şi şamanii în extaz îl trec în călătoria lor spre lumea cealaltă. Descrieri analoage se întîlnesc mai peste tot în lume[96] . Important este însă faptul că aceeaşi reprezentare s-a păstrat pentru a sublinia dificultatea cunoaşterii metafizice, iar, în creştinism, a credinţei. ,,Anevoios de trecut este lama subţire a briciului, spun poeţii, pentru a exprima dificultatea dru-

[95] Cf. M. Eliade, *Le Chamanisme et les techniques archaïques de l'extase* (Paris, 1951), p. 357 şi urm.
[96] Cf. *Le Chamanisme*, p. 419 şi urm. ; Maarti Haavio, *Väinämöinen, Eternal Sage* (Helsinki, 1952), p. 112 şi urm.

mului ce duce la cunoaşterea supremă" (*Kātha Upanishad*, III, 14). „Şi strîmtă este poarta şi îngustă este calea care duce la Viaţă şi puţini sînt cei care află" (Matei, VII, 14).

Aceste cîteva exemple cu privire la simbolismul iniţiatic, funerar şi metafizic al podului şi al uşii ne-au arătat în ce măsură existenţa cotidiană şi „mica lume" pe care ea o implică — casa cu uneltele ei, rutina zilnică şi gesturile ei etc. — sînt susceptibile de a fi valorizate pe plan religios şi metafizic. Viaţa de fiecare zi este mereu transfigurată de experienţa omului religios, care descoperă pretutindeni un „cifru". Pînă şi gestul cel mai obişnuit poate să aibă semnificaţia unui act spiritual. Drumul şi mersul sînt susceptibile de a fi transfigurate în valori religioase, pentru că orice drum poate simboliza „drumul vieţii", iar orice mers, un „pelerinaj", o peregrinare către Centrul Lumii[97]. Dacă posedarea unei „case" implică asumarea unei situaţii stabile în Lume, cei care au renunţat la casele lor, pelerinii şi asceţii, îşi declară, prin „mersul" lor, prin mişcarea lor continuă, dorinţa de a ieşi din Lume, refuzul oricărei situaţii lumeşti. Casa este un „cuib" şi, aşa cum spune *Pancavimsha Brahmāna* (XI, XV,1), „cuibul" implică turme, copii şi un cămin, într-un cuvînt, el simbolizează lumea familială, socială, economică. Cei care au ales căutarea, drumul spre Centru trebuie să abandoneze orice situaţie familială şi socială, orice

---

[97] Cf. *Traité d'histoire des religions*, p. 325 şi urm.

,,cuib", și să se consacre doar ,,mersului" spre
adevărul suprem care, în religiile foarte evo-
luate, se confundă cu Zeul ascuns, *Deus ab-
sconditus*[98].

### Riturile trecerii

După cum s-a remarcat de multă vreme,
riturile trecerii joacă un rol considerabil în viața
omului religios[99]. Ritul trecerii prin excelență
este reprezentat, de bună seamă, de inițierea de
la pubertate, de trecerea de la o categorie de
vîrstă la alta (de la copilărie sau adolescență
la tinerețe). Există însă și rituri ale trecerii la
naștere, la căsătorie sau la moarte și s-ar putea
spune că, în fiecare din aceste cazuri, este vorba
tot despre inițiere, deoarece și aici intervine o
schimbare radicală de regim ontologic și de sta-
tut social. Atunci cînd se naște, copilul nu are
decît o existență fizică ; el nu este încă recu-
noscut de familie, nici primit de comunitate.
Riturile îndeplinite imediat după naștere îi con-
feră nou-născutului statutul de ,,viu" propriu-
zis ; numai datorită acestor rituri este el in-
tegrat în comunitatea celor vii.

Căsătoria este, de asemenea, prilej de
trecere de la un grup socio-religios la altul. Tî-
nărul căsătorit părăsește grupul celibatarilor,
pentru a participa de acum înainte la acela al

---

[98] Cf. Ananda K. Coomaraswami, *The Pilgrim's
Way* (,,Journal of the Bihar and Orissa Oriental Research
Society", XXIII, 1937, partea a VI-a, p. 1—20).
[99] Vezi Arnold Van Gennep, *Les Rites de passage*
(Paris, 1909).

capilor de familie. Orice căsătorie implică o tensiune şi un pericol, declanşează o criză ; iată de ce se şi înfăptuieşte printr-un rit al trecerii. Grecii numeau căsătoria *telos* — consacrare —, iar ritualul nupţial semăna cu cel al misterelor.

În ce priveşte moartea, riturile sînt cu atît mai complexe cu cît nu este vorba doar de un „fenomen natural" (viaţa sau sufletul părăsesc trupul, ci şi de o schimbare de regim ontologic şi, totodată, social : răposatul trebuie să facă faţă anumitor încercări, importante pentru propriul său destin de dincolo de mormînt, dar trebuie de asemenea să fie recunoscut de comunitatea morţilor şi acceptat printre ei. Pentru anumite popoare, numai înmormîntarea rituală poate să confirme moartea : cine n-a fost înmormîntat după obicei nu este mort. În alte părţi, moartea cuiva nu este recunoscută ca valabilă decît după încheierea ceremoniilor funerare sau cînd sufletul răposatului a fost condus ritual la noul său sălaş, în lumea cealaltă, iar acolo a fost acceptat de comunitatea morţilor. Pentru omul areligios, naşterea, căsătoria şi moartea nu sînt decît evenimente care-l interesează pe individ şi pe familia sa ; rareori — în cazul şefilor de stat sau al politicienilor — evenimentele au consecinţe politice. Într-o perspectivă areligioasă asupra existenţei, toate aceste „treceri" şi-au pierdut caracterul ritual : ele nu semnifică nimic altceva decît actul concret al unei naşteri, al unui deces sau al unei uniri sexuale recunoscute. Să adăugăm, totuși, că o experiență drastic areligioasă se întîlnește destul de rar în stadiul pur, chiar și în societățile cele mai secularizate. Se prea poate ca o asemenea experiență complet areligioasă să devină mai frecventă într-un viitor mai mult sau mai puțin îndepărtat ; pentru moment, însă, ea se întîlnește rar. Întîlnim, în lumea profană, o secularizare radicală a morții, a căsătoriei și nașterii, dar, cum vom vedea îndată, subzistă încă amintiri și nostalgii vagi ale comportamentelor religioase abolite.

Cît despre ritualurile inițiatice propriuzise, se cuvine să facem distincție între inițierile de la pubertate (clasă de vîrstă) și ceremoniile de intrare într-o societate secretă : diferența cea mai importantă constă în faptul că *toți* adolescenții sînt puși să treacă prin inițiere la o anumită vîrstă, în timp ce societățile secrete sînt rezervate unui anumit număr de adulți. Instituția inițierii la pubertate pare mai veche decît cea a societății secrete ; mai răspîndită, ea este atestată la nivelele cele mai arhaice de cultură, cum se întîmplă, de exemplu, la australieni și la locuitorii Țării de Foc. Nu este cazul să prezentăm aici ceremoniile inițiatice în toată complexitatea lor. Ceea ce ne interesează este faptul că, din studiile arhaice de cultură, inițierea joacă un rol capital în formarea religioasă a omului și, mai ales, ea constă în primul rînd într-o mutație în regimul ontologic al neofitului. Acest fapt ni se pare foarte important pentru înţelegerea omului religios : el ne arată că omul societăţilor primitive, aşa cum a fost ,,dat" la nivelul natural al existenţei, nu este considerat ,,desăvîrşit" : pentru a deveni om propriu-zis, el trebuie să moară în această primă viaţă (naturală) şi să renască la o viaţă superioară, care este şi religioasă, şi culturală totodată.

Cu alte cuvinte, primitivul îşi aşază idealul de umanitate pe un plan suprauman. În înţelegerea sa : 1) nu devii om întreg decît după ce ai depăşit şi abolit, într-o oarecare măsură, umanitatea ,,naturală", deoarece iniţierea se reduce, în esenţă, la o experienţă paradoxală, supranaturală, a morţii şi a reînvierii sau a celei de a doua naşteri ; 2) riturile de iniţiere cuprinzînd încercările, moartea şi reînvierea simbolică au fost fundate de zei, de Eroii civilizatori sau de strămoşii mitici ; aceste rituri au deci o origine supraumană şi, săvîrşindu-le, neofitul imită un comportament supraomenesc, divin. Să reţinem acest aspect, deoarce el arată, o dată în plus, că omul religios *se vrea altul* decît crede că este la nivel ,,natural" şi se străduieşte *să se facă* asemănător imaginii ideale ce i-a fost revelată de mituri. Omul primitiv se străduieşte să atingă un *ideal religios al umanităţii*, iar în acest efort se găsesc germenii tuturor eticilor elaborate ulterior de societăţile evoluate. Evident, în societăţile areligioase contemporane, iniţierea nu mai există ca act religios. Dar, cum

se va vedea, *pattern*-urile inițierii încă mai supraviețuiesc în lumea modernă, cu toate că sînt
puternic desacralizate.

### Fenomenologia inițierii

Inițierea comportă în general o triplă
revelație : a sacrului, a morții și a sexualității[100].
Copilul ignoră toate aceste experiențe ; inițiatul
le cunoaște, și le asumă și le integrează în noua
sa personalitate. Să adăugăm că, dacă neofitul
se săvîrșește din viața infantilă, profană, neregenerată — pentru a renaște la o nouă existență,
sanctificată — el renaște și la un mod de a fi
care face posibilă cunoașterea, *știința*. Inițiatul
nu este doar un ,,nou-născut" sau un ,,reînviat" :
el este un om care *știe*, care cunoaște misterele,
care a avut revelații de ordin metafizic. În
timpul uceniciei sale din pădurea tropicală el
învață secretele sacre : miturile privitoare la
zei și la originea lumii, adevăratele nume ale
zeilor, rolul și originea obiectelor rituale folosite în timpul ceremoniilor de inițiere *(bull-
roarers*, cuțitele de silex pentru circumcizie etc.).
Inițierea echivalează cu maturizarea spirituală
și în întreaga istorie a umanității întîlnim mereu această temă : inițiatul, cel care a cunoscut misterele, *este cel care știe*.

Ceremonia începe pretutindeni prin separarea neofitului de familie și printr-o retra

---

[100] În legătură cu tot ce urmează, vezi M. Eliade,
*Mythes, rêves et mystères*, p. 254 și urm. ; id., *Naissances
mystiques, Essai sur quelques types d'initiation* (Gallimard,
1959).

gere în pădure. Există, deja, un simbolism al
Morţii : pădurea, jungla, tenebrele simbolizează
lumea de dincolo, „Infernul" . În unele locuri
se crede că un tigru vine şi-i duce în spinare
pe candidaţi, în junglă : animalul sălbatic îl
reprezintă pe Strămoşul mitic, Patronul iniţierii,
care-i conduce pe adolescenţi în Infern. În alte
părţi, se presupune că neofitul este înghiţit de
un monstru ; în pîntecele monstrului domneşte
Noaptea cosmică : este lumea embrionară a
existenţei, atît pe plan cosmic, cît şi pe planul
vieţii umane. În multe regiuni există în pă-
durea virgină o colibă iniţiatică. Acolo, tinerii
candidaţi sînt supuşi la o parte din încercări şi
sînt instruiţi în tradiţiile secrete ale tribului.
Or, coliba iniţiatică simbolizează pîntecele ma-
tern [101]. Moartea neofitului semnifică retrage-
rea în stadiul embrionar, dar acest lucru nu tre-
buie înţeles doar în sensul fiziologiei umane, ci
şi într-o accepţiune cosmologică ; stadiul foetal
echivalează cu o regresie provizorie la modali-
tatea virtuală, precosmică.

Alte ritualuri pun în lumină simbolis-
mul morţii iniţiatice. La unele popoare, candi-
daţii sînt înmormîntaţi sau culcaţi în morminte
proaspăt săpate sau sînt acoperiţi cu crengi şi
rămîn nemişcaţi, asemenea morţilor, ori sînt
frecaţi cu un praf alb, pentru a-i face să semene
cu nălucile. Neofiţii imită, de altfel, comporta-
mentul nălucilor : nu folosesc degetele pentru
a mînca, ci apucă hrana direct cu dinţii, aşa

───────────
[101] R. Thurnwald, *Primitive Initiations — und
Wiedergeburtsriten*. („Eranos-Jahrbuch", VII, 1940, p. 321—
398), p. 393.

cum se crede că fac sufletele morţilor. În sfîr-
şit, torturile la care sînt supuşi, printre multe
alte semnificaţii o au şi pe aceasta : se presu-
pune că neofitul supus torturii şi mutilării este
chinuit, tăiat în bucăţi, fiert sau prăjit de către
demonii patroni ai iniţierii, adică de Strămoşii
mitici. Aceste suferinţe fizice corespund situaţiei
cuiva ,,mîncat" de către demonul-fiară, mă-
runţit în botul monstrului iniţiatic, digerat în
pîntecele său. Mutilările (smulgerea dinţilor,
amputarea degetelor etc.) sînt încărcate, şi ele,
cu un simbolism al morţii. Majoritatea mutilă-
rilor au legătură cu divinităţile lunare. Or, Luna
dispare periodic, *moare,* pentru a renaşte trei
nopţi mai tîrziu. Simbolismul lunar subliniază
faptul că moartea este prima condiţie a oricărei
regenerări mistice.

Pe lîngă operaţiile specifice, ca circum-
cizia sau subincizia, în afara mutilărilor iniţia-
tice, unele semne exterioare marchează şi ele
moartea şi reînvierea : tatuajul, sacrificiile. Cît
priveşte simbolismul renaşterii mistice, vom ve-
dea că acesta se prezintă sub forme multiple.
Candidaţii primesc alte nume, care vor fi de
acum înainte numele lor adevărate. La unele
triburi, se presupune că tinerii iniţiatici au ui-
tat totul din viaţa lor anterioară ; imediat după
iniţiere ei sînt hrăniţi ca nişte prunci, sînt duşi de
mînă şi învăţaţi din nou să deprindă toate com-
portamentele. În general, ei învaţă în pădurea
virgină o limbă nouă sau, cel puţin, un vocabular
secret, accesibil doar iniţiaţilor. După cum se
vede, o dată cu iniţierea totul reîncepe. Simbo-

lismul celei de-a doua naşteri se exprimă une-
ori prin gesturi concrete. La anumite populaţii
bantu, înainte de-a fi circumcis, băiatul este
obiectul unei ceremonii cunoscute ca „a se naşte
din nou"[102]. Tatăl sacrifică un berbec şi, trei
zile mai tîrziu, înfăşoară copilul în prapur şi în
pielea animalului. Înainte de a fi înfăşurat, co-
pilul trebuie să se urce în pat şi să plîngă, ca un
nou-născut. El rămîne trei zile în pielea ber-
becului. La aceeaşi populaţie, morţii sînt înmor-
mîntaţi, în poziţie embrionară, în pielea ber-
becilor. Simbolismul renaşterii mistice prin
acoperirea rituală cu o piele de animal este ates-
tat, de altfel, în culturi foarte evoluate (India,
vechiul Egipt).

Î scenariile iniţiatice, simbolismul naş-
terii merge aproape întotdeauna în paralel cu
cel al Morţii. În contextele iniţiatice, moartea
înseamnă depăşirea condiţiei profane, nesancti-
ficate, a „omului natural", care ignoră sacrul
şi este orb la chemarea spiritului. Misterul ini-
ţierii îi dezvăluie neofitului, încetul cu încetul,
adevăratele dimensiuni ale existenţei : intro-
ducîndu-l în sacru, iniţierea îl obligă să-şi asume
responsabilitatea de om. Să reţinem următorul
fapt important : accesul la spiritualitate se
exprimă, în societăţile arhaice, printr-un sim-
bolism al Morţii şi al unei noi naşteri.

---

[102] M. Canney, *The Skin of Rebirth* („Man", iulie
1939, n° 91), p. 104—105.

*Confrerii ale bărbaților
și societăți secrete ale femeilor*

Riturile intrării în societățile de bărbați cunosc aceleași încercări și reiau aceleași scenarii inițiatice. După cum s-a spus, apartenența la confreriile de bărbați implică deja o selecție : nu toți cei care au fost supuși inițierii la pubertate vor face parte din societatea secretă, cu toate că toți o doresc[103] .

Să dăm un singur exemplu : la triburile africane mandja și banda există o societate secretă, cunoscută sub numele de Ngakola. Potrivit mitului povestit neofiților în timpul inițierii, monstrul Ngakola avea puterea de a-i ucide pe oameni, înghițindu-i, și de a-i scuipa apoi, regenerați. Neofitul este introdus într-o colibă care simbolizează corpul monstrului. Acolo, el aude vocea lugubră a lui Ngakola, este biciuit și supus torturii ; i se spune că „a intrat acum în pîntecele lui Ngakola" și că este pe cale de a fi digerat. După ce a fost supus la alte încercări, maestrul inițiator anunță în sfîrșit că Ngakola, care-l mîncase pe neofit, l-a înapoiat[104].

Se regăsește aici simbolismul morții prin înghițire în pîntecele unui monstru, sim-

---

[103] Cf. H. Schurtz, *Altersklassen und Männerbünde* (Berlin, 1902) ; O. Höfler, *Geheimbünde der Germanen*, I (Frankfurt pe Main, 1934) ; R. Wolfram, *Schwerttanz und Männerbund*, I—III (Kasel, 1936 și urm.) ; W. E. Peuckert, *Geheimkulte* (Heidelberg, 1951).
[104] E. Andersson, *Contribution à l'éthnographie des Kuta*, I (Uppsala, 1953), p. 264 și urm.

bolism care joacă un rol atît de important în inițierile de la pubertate. Să mai remarcăm încă o dată că riturile intrării într-o confrerie secretă corespund întru totul inițierilor de la pubertate : izolare, torturi și încercări inițiatice, moarte și reînviere, impunerea unui nou nume, învățarea unei limbi secrete etc.

Există și inițieri feminine. Nu trebuie să ne așteptăm să regăsim în riturile inițiatice și misterele rezervate femeilor același simbolism sau, mai exact, expresii simbolice identice cu cele ale inițierilor și ale confreriilor masculine. Descoperim însă, cu ușurință, un element comun : o experiență religioasă profundă, care stă la baza tuturor acestor rituri și mistere. *Accesul la sacralitate*, așa cum se dezvăluie ea în urma asumării condiției de femeie, constituie atît scopul riturilor inițiatice de la pubertate, cît și al societăților secrete feminine *(Weiber-bünde)*.

Inițierea începe o dată cu prima menstruație. Acest simptom fiziologic impune o ruptură, smulgerea tinerei fete din lumea ei familiară : ea este, de îndată, separată, izolată de comunitate. Segregarea are loc într-o colibă specială, în pădurea virgină sau într-un colț întunecos al locuinței. Tînăra catamenială trebuie să păstreze o poziție anume, destul de incomodă, și să evite lumina Soarelui sau orice atingere. Ea poartă o îmbrăcăminte specială sau un însemn, o culoare care-i este rezervată, într-un fel, și trebuie să se hrănească doar cu alimente crude.

Segregarea şi izolarea în umbră, într-o colibă întunecoasă, în pădurea virgină amintesc de simbolismul morţii iniţiatice a băieţilor izolaţi în pădure, închişi în colibe. Cu diferenţa că, la fete, segregarea are loc imediat după prima menstruaţie ; ea este deci individuală, în timp ce la băieţi este colectivă. Diferenţa se explică prin aspectul fiziologic, manifest la fete, al sfîrşitului copilăriei. Totuşi, tinerele fete sfîrşesc prin a constitui un grup şi atunci iniţierea lor este efectuată colectiv, de către bătrîne sfătuitoare.

Cît despre *Weiberbünde,* ele sînt întotdeauna legate de misterul naşterii şi al fertilităţii. Misterul naşterii, adică al descoperirii de către femeie a faptului că *este creatoare pe planul vieţii,* constituie o experienţă religioasă intraductibilă în termenii experienţei masculine. Se înţelege, atunci, de ce procrearea a dat naştere la ritualuri secrete feminine, organizate uneori ca adevărate mistere. Urme ale unor asemenea mistere s-au păstrat chiar şi în Europa[105].

Ca şi la bărbaţi, avem de-a face cu forme multiple de asociaţii feminine, în care secretul şi misterul sporesc progresiv. Există, în primul rînd, iniţierea generală, prin care trece orice fată şi orice tînără căsătorită, şi care sfîrşeşte prin instituirea unor *Weiberbünde.* Există, apoi, asociaţiile feminine ale misterelor, ca în Africa sau,

---

[105] Cf. R. Wolfram, *Weiberbünde* („Zeitschrift für Volkskunde", 42, 1933, p. 143 şi urm.).

în antichitate, grupurile Menadelor. Se ştie că
acestor confrerii feminine le-a trebuit mult timp
ca să dispară.

### Moarte şi iniţiere

Simbolismul şi ritualul iniţiatic ce com-
portă înghiţirea de către un monstru au avut
un rol considerabil, atît în iniţieri, cît şi în mi-
turile eroice şi în mitologiile Morţii. Simbolis-
mul întoarcerii în pîntece are întotdeauna o va-
lenţă cosmologică. Lumea întreagă se întoarce
simbolic, împreună cu neofitul, în Noaptea cos-
mică, pentru a putea fi creată din nou, adică,
pentru a putea fi regenerată. Cum s-a văzut
(cap. II), ritul cosmologic este recitat în scopuri
terapeutice. Pentru a-l vindeca pe bolnav tre-
buie să-l faci să se *nască din nou*, iar modelul
arhetipal al naşterii este cosmogonia. Trebuie
abolită opera Timpului, regăsită clipa aurorală
de dinaintea Creaţiei : pe plan uman, aceasta
vrea să însemne că trebuie să revenim la „pa-
gina albă" a existenţei, la începutul absolut, cînd
nimic nu era încă pîngărit, nimic nu era  încă
irosit.

A pătrunde în pîntecele monstrului —
sau a fi „îngropat" simbolic sau a fi închis  în
coliba iniţiatică — echivalează cu o regresie în
nedefinitul primordial, în Noaptea cosmică. A
ieşi din pîntece sau din coliba întunecoasă sau
din „mormîntul" iniţiatic echivalează cu o cos-
mogonie. Moartea iniţiatică reiterează întoar-

cerea exemplară în Haos, în așa fel încît să fie
posibilă repetarea cosmogoniei, să se pregă-
tească noua naștere. Regresia în Haos se veri-
fică uneori literal : este, de exemplu, cazul ma-
ladiilor inițiatice ale viitorilor șamani, care au
fost adesea considerate adevărate nebunii. Se
asistă, într-adevăr, la o criză totală, ce conduce
uneori la dezintegrarea personalității[106]. Acest
„haos psihic" este semnul că omul profan e pe
cale de a se „dizolva" și că o nouă personalitate
stă să se nască.

Se înțelege de ce aceeași schemă iniția-
tică — suferințe, moarte și reînviere (renaș-
tere) — se regăsește în toate misterele, atît în
riturile pubertății, cît și în cele care fac posibil
accesul într-o societate secretă ; este și motivul
pentru care același scenariu se lasă descifrat
în tulburătoarele experiențe intime care pre-
ced vocația mistică (la primitivi, „bolile iniția-
tice" ale viitorilor șamani). Omul societăților
primitive s-a străduit să învingă moartea, trans-
formînd-o în *rit al trecerii.* Cu alte cuvinte,
pentru primitivi se moare întotdeauna față
de ceva *care nu era esențial ;* se moare îndeo-
sebi față de viața profană. Pe scurt, moartea
este considerată suprema inițiere, începutul unei
noi existențe spirituale. Mai mult decît atît,
generarea, moartea și regenerarea (renașterea)
au fost înțelese ca trei momente ale aceluiași
mister și nu s-a cruțat nici un efort spiritual
al omului arhaic pentru a arăta că între aceste
momente nu trebuie să existe o ruptură. Nu ne

[106] Cf. M. Eliade, *Le Chamanisme,* p. 36 și urm.

putem *opri* în nici unul din aceste trei momente.
Mișcarea, regenerarea continuă la infinit. Se
reface neobosit cosmogonia, pentru a dobîndi
certitudinea că un lucru este bine făcut : un co-
pil de exemplu, o casă sau o vocație spirituală.
Iată de ce întîlnim mereu valența cosmogonică
a riturilor inițierii.

<br>

> *„Cea de-a doua naștere"*
> *și nașterea spirituală*

Scenariul inițiatic, adică moartea față
de condiția profană, urmată de renașterea în lu-
mea sacră, lumea zeilor, joacă, de asemenea, un
rol considerabil în religiile evoluate. Un exem-
plu celebru este acela al sacrificiului indian, al
cărui scop este cîștigarea, după moarte, a Ceru-
lui, a conviețuirii cu zeii sau a calității de zeu
(*devātma*). Cu alte cuvinte, prin sacrificiu îți
creezi o condiție supraomenească, rezultat ce
poate fi omologat cu cel al inițierilor arhaice.
Or, cel sacrificat trebuie să fie consacrat, în pre-
alabil, de către preoți, iar această consacrare
(*dīkshā*) comportă un simbolism inițiatic de
structură obstetrică ; la drept vorbind, *dīkshā*
îl transformă, ritual, în embrion pe cel ce se
sacrifică și-l face să se nască a doua oară.

Textele insistă îndelung asupra siste-
mului de omologare datorită căruia cel sacri-
ficat este supus unui *regressus ad uterum*, ur-

mat de o nouă naștere [107]. Iată, de exemplu, ce
spune, în legătură cu aceasta, *Aitareya—Brāh-
mana* (I, 3) : „Preoții îl transformă în embrion
pe cel căruia-i acordă consacrarea *(dīkshā)*. Îl
stropesc cu apă : apa este sămînța virilă... Îl fac
să intre într-o șură specială : aceasta este ma-
tricea (uterul) celui care conferă *d'ksh ī*; îl fac
astfel să intre în matricea cuvenită. Îl
acoperă cu o haină, haina este amnio-
sul... Deasupra se pune o piele de anti-
lopă neagră ; corionul este, într-adevăr,
deasupra amniosului... El are pumnii strînși ;
într-adevăr, embrionul are pumnii strînși cîtă
vreme este în pîntece, copilul are pumnii strînși
cînd se naște... El își scoate pielea de antilopă
pentru a intra în baie ; iată de ce embrionii vin
pe lume lipsiți de corion. El își păstrează veș-
mîntul pentru a intra în el ; iată de ce copilul
se naște cu amniosul pe el." [108]

Cunoașterea sacră și, prin extensie, în-
țelepciunea sînt văzute ca fructul unei inițieri și
este semnificativ să aflăm simbolismul obstetric
legat de trezirea conștiinței supreme, atît în ve-
chea Indie, cît și în Grecia. Socrate nu se com-
para întîmplător cu o moașă : el îl ajuta pe om
să se nască la conștiința de sine, moșea „omul
nou". Același simbolism se regăsește în tradi-

---

[107] Cf. Silvain Lévi, *La Doctrine du sacrifice dans
les Brâhmanas* (Paris, 1898) p. 104 și urm. ; H. Lommel,
*Wiedergeburt aus embryonalen Zustand in der Symbolik des
altindischen Rituals* (în C. Hentze, *Tod, Auferstehung, Welt-
ordnung*, p. 107—130).

[108] În legătură cu simbolismul cosmologic al pum-
nilor strînși, cf. C. Hentze, *Tod, Auferstehung, Weltordnung*,
p. 96 și urm. și *passim*.

ţia budistă : călugărul îşi abandona numele de
familie şi devenea un „fiu al lui Buddha" *(sa-
kya-putto)*, deoarece era „născut printre sfinţi"
*(ariya)*. Aşa cum spunea Kassapa, vorbind des-
pre sine însuşi : „Fiu natural al Preafericitului,
născut din gura sa, născut din *dhamma* (Doc-
trină), modelat de către *dhamma*" etc. (*Samy-
utta Nikāya*, II, 221).

Această naştere iniţiatică implica moar-
tea faţă de existenţa profană. Schema s-a păs-
trat atît în hinduism, cît şi în budism. Yoghi-
nul „moare din viaţa aceasta" pentru a renaşte
la un alt mod de a fi, cel reprezentat de eliberare.
Buddha îi arată calea şi mijloacele de a muri
faţă de condiţia umană profană, de sclavie şi
ignoranţă, pentru a renaşte în libertate, beati-
tudine şi necondiţionatul *nirvānei*. Terminolo-
gia indiană a renaşterii iniţiatice aminteşte
uneori de simbolismul arhaic al „noului trup"
pe care-l capătă neofitul datorită iniţierii. Bud-
dha însuşi declară : „Eu le-am arătat disci-
polilor mei mijloacele prin care pot crea, por-
nind de la acest trup (constituit din cele patru
elemente, coruptibile), un alt corp, de substanţă
intelectuală *rūpim manomayam)*, desăvîrşit şi
înzestrat cu facultăţi transcendentale *(abhinin-
driyam)"* [109].

Simbolismul celei de-a doua naşteri ca
acces la spiritualitate a fost reluat şi valorizat de
iudaismul alexandrin şi de creştinism. Filon fo-
loseşte din abundenţă tema procreării în legă-
tură cu naşterea la o viaţă superioară, la viaţa

---

[109] *Majjhima-Nikāya*, II, 17 ; cf., de asemenea, M.
Eliade, *Le Yoga, Immortalité et Liberté*, p. 172 şi urm.

spiritului (cf., de ex., Avraam, XX, 99). La rîndul său, Sfîntul Pavel vorbeşte de „fiul spiritual", de fiii care s-au născut prin credinţă. „Către Tit, adevăratului meu fiu în credinţa noastră a amîndurora" (*Epistolă către Tit*, I, 4) : „Te rog pe tine pentru copilul meu, pe care l-am născut fiind în lanţuri, te rog pentru Onisim..." (*Epistolă către Filimon*, 10).

Ar fi inutil să insistăm asupra diferenţelor dintre „fiii" pe care-i „zămislea" Sfîntul Pavel „întru credinţă" şi „fiii lui Buddha" sau cei pe care-i „moşea" Socrate sau chiar „noii-născuţi" ai iniţierilor primitive. Deosebirile sînt evidente. Însăşi puterea ritului era aceea care-l „ucidea" şi-l „reînvia" pe neofit în societăţile arhaice, aşa cum puterea ritului îl transforma în „embrion" şi pe hindusul ce se sacrifică. Buddha, dimpotrivă, „zămislea" prin „gura" sa, adică prin comunicarea doctrinei sale (*dhamma*) ; datorită cunoaşterii supreme revelate de *dhamma*, discipolul se năştea la o viaţă nouă, susceptibilă să-l ducă pînă-n pragul Nirvănei. Socrate pretindea că nu face decît meseria unei moaşe : el ajuta la „naşterea" omului adevărat pe care fiecare îl purta în adîncurile sale. Pentru Sfîntul Pavel, situaţia este diferită : el crea „fii spirituali" prin credinţă, adică printr-un mister fundat de însuşi Hristos.

De la o religie la alta, de la o gnoză sau de la o înţelepciune la alta, tema imemorială a celei de-a doua naşteri se îmbogăţeşte cu valori noi, ce schimbă uneori radical conţinutul experienţei. Rămîne, totuşi, un element comun,

invariabil, pe care l-am putea defini în felul
următor : *accesul la viața spirituală comportă
întotdeauna moartea față de condiția profană,
urmată de o nouă naștere.*

### Sacrul și profanul în lumea modernă

Am insistat asupra inițierii și a riturilor
trecerii, dar nu înseamnă că am și epuizat su-
biectul ; abia dacă putem pretinde că am des-
prins câteva aspecte esențiale. Totuși, insistînd
mai mult asupra inițierii, a trebuit să trecem
sub tăcere o întreagă serie de situații socio-re-
ligioase de mare interes pentru înțelegerea lui
*homo religiosus :* astfel, nu s-a vorbit despre
Suveran, despre șaman, despre preot, despre
vraci etc.

Această carte de mici dimensiuni este,
prin forța împrejurărilor, sumară și incompletă :
ea nu constituie decît o introducere foarte ra-
pidă într-un subiect imens.

Subiectul este imens, deoarece nu-i in-
teresează doar pe istoricul religiilor, pe etno-
log sau pe sociolog, ci și pe istoric, pe psiholog,
pe filozof. A cunoaște situațiile asumate de că-
tre omul religios, a pătrunde în universul lui
spiritual înseamnă, în esență, a face să progre-
seze cunoașterea generală a omului. Este ade-
vărat că majoritatea situațiilor asumate de omul
religios al societăților primitive și al civilizațiilor
arhaice au fost de mult depășite de Istorie. Ele
n-au dispărut însă fără să lase urme : au con-
tribuit la a ne face ceea ce sîntem astăzi,  fac
parte deci din propria noastră istorie.

Aşa cum am repetat în mai multe rîn-
duri, omul religios îşi asumă un mod specific
de existenţă în lume şi, în ciuda numărului con-
siderabil de forme istorico-religioase, acest
mod specific poate fi recunoscut întotdeauna.
Indiferent de contextul istoric în care este cu-
fundat, *homo religiosus* crede întotdeauna că
există o realitate absolută, *sacrul*, care trans-
cende lumea aceasta, dar care se manifestă în
ea şi, prin urmare, o sanctifică şi o face reală.
El crede că viaţa are o origine sacră şi că exis-
tenţa umană îşi actualizează toate potenţialită-
ţile în măsura în care este religioasă, adică, în
care participă la realitate. Zeii au creat omul
şi Lumea, Eroii civilizatori au desăvîrşit Crea-
ţia, iar istoria tuturor acestor opere divine şi
semidivine este păstrată în mituri. Reactuali-
zînd istoria sacră, imitînd comportamentul di-
vin, omul se instalează şi se menţine aproape
de zei, adică în real şi semnificativ.

Nu e greu de remarcat tot ce desparte
acest mod de a fi în lume de existenţa omului
areligios. Înainte de toate, următorul fapt :
omul areligios refuză transcendenţa, acceptă
relativitatea „realităţii" şi i se întîmplă chiar
să se îndoiască de sensul existenţei. Celelalte
mari culturi ale trecutului au cunoscut şi ele
oameni areligioşi şi nu este imposibil ca ei să
fi existat chiar la nivelele arhaice de cultură,
cu toate că documentele nu i-au atestat. Omul
areligios s-a dezvoltat plenar numai în societă-
ţile moderne. Omul modern areligios îşi asumă

o nouă situație existențială : el se recunoaște
doar ca subiect și agent al Istoriei și refuză
orice chemare la transcendență. Altfel spus, nu
acceptă nici un model de umanitate în afara
condiției umane, așa cum se lasă aceasta des-
cifrată în diferitele situații istorice. Omul *se
face* pe sine însuși și nu reușește să *se facă* în
întregime decît în măsura în care se desacra-
lizează și desacralizează lumea. Sacrul este
obstacolul, prin excelență, în fața libertății sale.
Omul nu va deveni el însuși decît în măsura în
care se va fi demistificat radical. Nu va fi cu
adevărat liber decît în clipa în care-l va fi
ucis pe ultimul zeu.

     Nu intenționăm să discutăm aici
această luare de poziție filozofică. Să constatăm
doar că, în ultimă instanță, omul modern are-
ligios își asumă o existență tragică și că alege-
rea sa existențială nu este lipsită de măreție.
Acest om areligios coboară însă din *homo reli-
giosus* și, fie că vrea, fie că nu, el este și opera
acestuia, s-a constituit pornind de la situațiile
asumate de strămoșii săi. În esență, el este re-
zultatul unui proces de desacralizare. Așa cum
„Natura" este produsul unei secularizări pro-
gresive a Cosmosului, operă a Zeului, omul
profan este rezultatul unei desacralizări a exis-
tenței umane. Aceasta implică însă faptul  că
omul areligios s-a constituit în opoziție cu prede-
cesorul său, străduindu-se să se „golească" de
orice religiozitate și de orice semnificație trans-
umană. El se recunoaște în măsura în care  se
„eliberează", se „purifică"  de „superstițiile"
strămoșilor săi. Cu alte cuvinte, fie că vrea, fie

că nu, omul profan încă mai păstrează urmele comportamentului omului religios, curățate însă de semnificațiile religioase. Orice ar face, el este un moștenitor. Nu-și poate aboli definitiv trecutul, pentru că el însuși este un produs al acestuia. Se constituie printr-o serie de negații și refuzuri, dar continuă să fie bîntuit de realitățile de care s-a dezis. Pentru a dispune de o lume a sa, a desacralizat lumea în care trăiau strămoșii săi, dar, pentru a ajunge aici, a fost obligat să susțină contrariul unui comportament anterior și simte că acest comportament este mereu gata să se reactualizeze, sub o formă sau alta, în adîncurile ființei sale.

Așa cum am spus, omul areligios *în stare pură* este un fenomen destul de rar întîlnit, chiar și în societatea modernă cea mai desacralizată. Majoritatea celor „fără religie" încă se mai comportă în mod religios (fără să-și dea seama). Nu este vorba doar de „superstițiile" sau „tabuurile" omului modern, care au, toate, o structură și o origine magico-religioasă. Dar omul modern care se simte și se pretinde areligios încă mai dispune de o întreagă mitologie camuflată și de numeroase ritualisme degradate. După cum s-a menționat, serbările ce însoțesc Anul Nou sau instalarea într-o casă nouă prezintă, laicizată, structura unui ritual de reînnoire. Același fenomen se constată cu ocazia serbărilor și a veseliei ce însoțește căsătoria sau nașterea unui copil, obținerea unei noi slujbe, o promovare socială etc.

S-ar putea scrie o carte întreagă despre miturile omului modern, despre mitologiile camuflate în spectacolele pe care le îndrăgeşte, în cărţile pe care le citeşte. Cinematograful, această „uzină de vise", reia şi foloseşte nenumărate motive mitice : lupta dintre Erou şi Monstru, bătăliile şi încercările iniţiatice, figurile şi imaginile exemplare („Tînăra Fată", „Eroul", peisajul paradiziac, „Infernul" etc.). Chiar şi lectura comportă o funcţie mitologică : nu numai pentru că înlocuieşte povestirea miturilor din societăţile arhaice şi din literatura orală, vie încă în comunităţile rurale ale Europei, ci mai ales pentru că lectura îi oferă omului modern o „ieşire din Timp" comparabilă cu aceea efectuată de mituri. Fie că „omoară" Timpul cu un roman poliţist sau că pătrunde într-un univers temporal străin, reprezentat de orice roman, lectura îl proiectează pe omul modern în afara duratei sale personale şi-l integrează în alte rituri, îl face să trăiască într-o altă „istorie".

Marea majoritate a celor „fără religie" nu sînt, la drept vorbind, eliberaţi de comportamentele religioase, de teologii şi mitologii. Ei sînt uneori stînjeniţi de un întreg talmeş-balmeş magico-religios, dar degradat pînă la caricatură şi, din acest motiv, dificil de recunoscut. Procesul desacralizării existenţei umane a ajuns de mai multe ori la forme hibride de magie măruntă şi de religiozitate maimuţărită. Nu ne gîndim la nenumăratele „mici religii"

ce forfotesc în toate orașele moderne, la bise-
rici, la sectele și școlile pseudooculte, neospiri-
tualiste sau așa-zis ermetice, fiindcă toate aceste
fenomene țin tot de sfera religiozității, chiar
dacă este vorba, aproape întotdeauna, de aspecte
aberante de pseudomorfoză. Nu facem
aluzie nici la diferitele mișcări politice și la
profetismele sociale, a căror structură mitolo-
gică și al căror fanatism religios pot fi obser-
vate cu ușurință. Oprindu-ne la un singur
exemplu, vom aminti structura mitologică a
comunismului și sensul lui eshatologic. Marx
reia și prelungește unul din marile mituri esha-
tologice ale lumii asiatico-mediteraneene, anume
rolul izbăvitor al Celui Drept („alesul", „un-
sul", „neprihănitul", „vestitorul" ; în zilele
noastre, proletariatul), ale cărui suferințe sînt
chemate să schimbe statutul ontologic al lumii.
Într-adevăr, societățile fără clase ale lui Marx
și dispariția consecutivă a tensiunilor istorice
își găsesc precedentul cel mai exact în mitul
Epocii de Aur care, potrivit multor tradiții,
caracterizează începutul și sfîrșitul Istoriei.
Marx a îmbogățit acest mit venerabil cu o
întreagă ideologie mesianică iudeo-creștină : pe
de o parte, rolul profetic și funcția soteriolo-
gică pe care i-o recunoaște proletariatului ; pe
de altă parte, lupta finală între Bine și Rău, ce
poate fi apropiată fără greutate de conflictul
apocaliptic dintre Hrist și Antihrist, urmat de
victoria hotărîtoare a celui dintîi. Semnificativ
este însuși faptul că Marx reia speranța esha-

tologică iudeo-creștină a unui *sfîrșit absolut al
Istoriei* ; prin aceasta el se desparte de celelalte
filozofii istoriciste (de exemplu, Croce și Or-
tega y Gasset), pentru care tensiunile Istoriei
sînt consubstanțiale condiției umane și nu pot
fi niciodată complet abolite.

Comportamentele religioase camuflate
sau degenerate nu sînt sesizabile însă numai
în „micile religii" sau în misticile politice : ele
pot fi recunoscute și în mișcări ce se declară
perfect laice, ba chiar antireligioase. De pildă,
în nudism sau în mișcările pentru libertatea
sexuală absolută, ideologii în care se pot descifra
urmele „nostalgiei Paradisului", dorința de a
redobîndi starea edenică de dinaintea căderii,
cînd păcatul nu exista și nu exista nici ruptura
între fericirea carnală și conștiința.

Este interesant să constatăm, de ase-
menea, cum persistă scenariile inițiatice într-un
mare număr de acțiuni și gesturi ale omului
areligios al zilelor noastre. Lăsăm la o parte,
bineînțeles, situațiile în care supraviețuiește,
degradat, un anume tip de inițiere, războiul de
exemplu și, în primul rînd, luptele individuale
(mai ales ale aviatorilor), fapte de vitejie ce
cuprind „încercări" omologabile celor ale ini-
țierilor militare tradiționale, chiar dacă, în zilele
noastre, luptătorii nu-și mai dau seama de
semnificația profundă a „încercărilor" și nu
mai iau în considerare conținutul lor inițiatic.
Pînă și unele tehnici specific moderne, cum
ar fi psihanaliza, mai păstrează canavaua ini-

ţiatică. Pacientul este invitat să coboare foarte adînc în sine însuşi, să-şi retrăiască trecutul, să-şi înfrunte din nou traumatismele şi, din punct de vedere formal, această operaţie periculoasă se aseamănă cu coborîrile iniţiatice în „Infern", printre larve, sau cu luptele cu „Monştrii". Aşa cum iniţiatul trebuia să iasă victorios din încercările sale, „să moară" şi „să reînvie" pentru a putea avea acces la o existenţă pe deplin responsabilă şi deschisă valorilor spirituale, pacientul din zilele noastre trebuie să-şi înfrunte propriul „inconştient", bîntuit de larve şi monştri, pentru a-şi găsi sănătatea şi integritatea psihică, ca şi lumea valorilor culturale.

Iniţierea este însă atît de strîns legată de existenţa umană, încît un număr considerabil de gesturi şi acţiuni ale omului modern încă mai repetă scenarii iniţiatice. De multe ori, „lupta cu viaţa", „încercările" şi „greutăţile" ce stau în calea unei vocaţii sau a unei cariere reiterează, într-un fel, încercările iniţiatice : în urma „loviturilor" pe care le primeşte, a „suferinţei" şi a „torturilor" morale sau chiar fizice pe care le suferă, un tînăr „se pune la încercare" pe sine însuşi, îşi cunoaşte posibilităţile, îşi dă seama de puterile sale şi sfîrşeşte prin a deveni şi el adult şi creator din punct de vedere spiritual (este vorba, bineînţeles, de o spiritualitate specifică lumii moderne). Aceasta se întîmplă pentru că orice existenţă umană se constituie printr-o serie de

încercări, prin experienţa repetată a „morţii"
şi a „reînvierii". Iată de ce, într-un orizont re-
ligios, existenţa este întemeiată pe iniţiere ;
aproape că s-ar putea spune că, în măsura în
care se desăvîrşeşte, existenţa umană este ea
însăşi o iniţiere.

În esenţă, majoritatea oamenilor „fără
religie" încă mai împărtăşesc pseudoreligii
şi mitologii degradate. Aceasta nu trebuie să ne
mire, căci omul profan este descendentul lui
*homo religiosus* şi nu poate anula propria sa
istorie, comportamentele strămoşilor săi reli-
gioşi, care l-au făurit aşa cum este el astăzi,
cu atît mai mult cu cît o mare parte a exis-
tenţei sale se hrăneşte cu pulsiuni care vin din
adîncurile fiinţei, din zona care a fost numită
„inconştient". Un om perfect raţional este o
abstracţie ; el nu poate fi întîlnit niciodată în
realitate. Orice fiinţă umană este constituită în
acelaşi timp din activitatea conştientă şi din
experienţele iraţionale. Or, conţinutul şi struc-
turile inconştientului prezintă similitudini uimi-
toare cu imaginile şi figurile mitologice. Nu
vrem să spunem că mitologiile sînt „produsul"
inconştientului, pentru că specificitatea mitu-
lui constă tocmai în aceea că *se dezvăluie ca
mit*, declarînd că un anumit fenomen *s-a mani-
festat în mod exemplar*. Un mit este „produs"
de inconştient în acelaşi fel în care se poate
spune că *Madame Bovary* este „produsul"
unui adulter.

Conţinuturile şi structurile inconştien-
tului sînt, totuşi, rezultatul unor situaţii exis-
tenţiale imemoriale, mai ales al situaţiilor cri-

tice, și acesta este motivul pentru care incon-
știentul prezintă o aură religioasă. Orice criză
existențială repune în discuție atît realitatea
Lumii, cît și prezența omului în Lume : din
moment ce, la nivelele arhaice de cultură,
*ființa* se confundă cu *sacrul*, criza existențială
este, în esență, „religioasă". După cum s-a vă-
zut, experiența sacrului este cea care întemei-
ază Lumea și pînă și religia cea mai elementară
este, înainte de toate, o ontologie. Altfel spus,
în măsura în care inconștientul este rezultatul
nenumăratelor experiențe existențiale, el nu
poate să nu semene cu diferitele universuri
religioase, deoarece religia este soluția exem-
plară a oricărei crize existențiale, nu numai
pentru că este repetabilă la infinit, ci și pentru
că este considerată de origine transcendentală și;
prin urmare, este valorizată ca revelație primită
dintr-o *altă* lume, transumană. Soluția religioasă
nu numai că rezolvă criza, dar face posibilă, în
același timp, existența „deschisă" spre valorile
care nu mai sînt nici contingente, nici parti-
culare, permițîndu-i astfel omului să depășească
situațiile personale și să ajungă, în cele din
urmă, la lumea spiritului.

    Nu este nevoie să dezvoltăm aici toate
consecințele acestei solidarități între conținutul
și structurile inconștientului, pe de o parte,
și valorile religiei, pe de altă parte. A trebuit
să facem aluzie la ele pentru a arăta în ce sens,
pînă și omul cel mai pronunțat areligios încă
mai ascunde, în adîncul ființei sale, compor-
tamentul orientat religios. „Mitologiile particu-

lare" ale omului modern, visele, iluziile, fantasmele sale etc. nu reuşesc însă să se înalţe la regimul ontologic al miturilor dacă nu sînt trăite de *omul total* şi nu transformă o situaţie particulară în situaţie exemplară. Ca şi angoasele omului modern, experienţele onirice sau imaginare ale acestuia, deşi „religioase" din punct de vedere formal, nu se integrează, ca la *homo religiosus*, într-o *Weltanschauung* şi nu fundează un comportament. Următorul exemplu ne va permite să surprindem mai bine diferenţele dintre aceste două categorii de experienţe. Activitatea inconştientă a omului modern nu încetează să-i prezinte acestuia nenumărate simboluri, fiecare avînd de transmis un mesaj, de îndeplinit o misiune, pentru a asigura sau restabili echilibrul psihic. După cum s-a văzut, simbolul nu numai că „deschide" Lumea, ci îl şi ajută pe omul religios să aibă acces la universal. Mulţumită simbolurilor iese omul din situaţia lui particulară şi se „deschide" spre general şi universal. Simbolurile trezesc experienţa individuală şi o preschimbă în act spiritual, în înţelegere metafizică a Lumii. În faţa unui arbore oarecare, simbol al Arborelui Lumii şi imagine a Vieţii cosmice, un om al societăţilor premoderne poate avea acces la cea mai înaltă spiritualitate : înţelegînd simbolul, *el reuşeşte să trăiască universalul*. Viziunea religioasă asupra Lumii şi ideologia care o exprimă îi permit să fructifice această experienţă individuală, să o „deschidă" spre universal. Imaginea Arborelui încă mai este destul de frecventă în universurile imaginare ale omului

modern areligios : ea constituie un cifru al
vieții sale profunde, al dramei ce se joacă în
inconștientul său și care implică integritatea
vieții psiho-mentale și, pornind de aici, a pro-
priei sale existențe. Atîta timp cît simbolul Ar-
borelui nu trezește conștiința totală a omului,
„deschizînd-o" spre universal, nu se poate
spune că el și-a îndeplinit în întregime funcția.
El nu l-a „salvat" pe om decît parțial din si-
tuația lui individuală, permițîndu-i, de exem-
plu, să asimileze o criză de profunzime și re-
dîndu-i echilibrul psihic amenințat provizoriu,
dar nu l-a înălțat încă la spiritualitate, n-a
reușit să-i dezvăluie una dintre structurile
realului.

Nu este, credem, nevoie de alt exemplu
pentru a arăta în ce sens omul areligios al
societăților moderne încă mai este influențat
și ajutat de activitatea inconștientului său, fără
să ajungă însă la o experiență și la o viziune
asupra lumii cu adevărat religioase. Inconștien-
tul îi oferă soluții pentru dificultățile propriei
sale existențe, îndeplinind, în acest sens, sen-
sul religiei, deoarece, înainte de a face ca exis-
tența să fie creatoare de valori, religia îi asi-
gură integritatea. Într-un anume sens, aproape
că s-ar putea spune că la modernii care se
declară areligioși religia și mitologia s-au „ocul-
tat", în tenebrele inconștientului — ceea ce
înseamnă de asemenea că posibilitățile de rein-
tegrare a unei experiențe religioase a vieții
zac foarte adînc în asemenea ființe. Dintr-o
perspectivă iudeo-creștină s-ar putea spune, de
asemenea, că nonreligia echivalează cu o nouă

,,cădere" a omului : omul areligios ar fi pierdut capacitatea de a trăi conştient religia şi, prin urmare, de a o înţelege şi a şi-o asuma ; în adîncurile fiinţei sale, îi mai păstrează însă amintirea, la fel cum, după prima ,,cădere", cu toate că era orbit spiritual, strămoşul său, Adam, păstrase destulă înţelepciune pentru a putea să regăsească urmele vizibile ale lui Dumnezeu în Lume. După prima ,,cădere", religiozitatea căzuse la nivelul conştiinţei sfîşiate ; după cea de-a doua, ea a căzut şi mai jos încă, în adîncurile inconştientului : a fost ,,uitată". Consideraţiile istoricului religios se opresc aici. Tot aici începe problematica proprie filozofului, psihologului, ba chiar a teologului.

# ELEMENTE BIBLIOGRAFICE

## Introducere

CAILLOIS, R., *L'Homme et le sacré* (Paris, 1939 ; ed. a doua, 1953).

CLEMEN, C., *Die Religionen der Erde* (München, 1927).

CORCE, M. și R. MORTIER, *Histoire générale des religions*, I—V (Paris, 1944—1950).

DURKHEIM, E., *Les Formes élémentaires de la vie religieuse* (Paris, 1912).

ELIADE, M., *Traité d'histoire des religions* (Paris, 1949).

KÖNIG, F., *Christus und die Religionen der Erde*, I—III (Freiburg im Breisgau, 1951).

LEEUW, G. van der, *Phänomenologie der Religion* (Tübingen, 1933 ; ed. a doua, 1955) ; id., *L'Homme primitif et la religion* (Paris, 1940).

LÉVY-BRUHL, L., *Le Surnaturel et la Nature dans la mentalité primitive* (Paris, 1931) ; id., *La Mythologie primitive* (1935).

LOWIE, R. H., *Primitive Religion* (New York, 1924).

MAUSS, M., și H. HUBERT, *Mélanges d'histoire des religions* (Paris, 1909).

OTTO, R., *Das Heilige* (Breslau, 1917) ; id., *Aufsätze das Numinose betreffend* (Gotha, 1923).

PINARD DE LA BOULLAYE, H., *L'Étude comparée des religions*, 2 vol. (Paris, 1922 ; ed. a III-a, revăzută și îmbogățită, 1929).

Capitolul întîi

ALLCROFT, A. H., *The Circle and the Cross*, I—II (Londra, 1927—1930).

BOGORAS, W., *Ideas of space and time in the conception of primitive religion* („American Anthropologist" ; nr. sp. 27, 1917, p. 205—266).

COOMARASWAMY, A. K., *Symbolism of the Dome* („Indian Historical Quarterly", XIV, 1938, p. 1—56).

CUILLANDRE, J., *La Droite et la Gauche dans les poèmes homériques* (Paris, 1941).

DEFFONTAINES, P., *Géographie et Religions* (Paris, 1948)

ELIADE, M., *Le Mythe de l'Éternel Retour* (Paris, 1949), cap. I—II ; id., *Images et Symboles* (Paris, 1952), p. 33—72.

HENTZE, C., *Bronzegerät, Kultbauten, Religion im ältesten China der Shang-Zeit* (Anvers, 1951).

MUS, P., *Barabudur. Esquisse d'une histoire du bouddhisme fondée sur la critique archéologique des textes*, I—II (Hanoi, 1935).

SEDLMAYR, H., *Die Entstehung der Kathedrale* (Zurich, 1950).

WENSINCK, A. J., *The Ideas of the Western Semites concerning the Navel of the Earth* (Amsterdam, 1916).

Capitolul II

Despre Timpul sacru :

COOMARASWAMY, A., *Time and Eternity* (Ascona, 1947).

CORBIN, H., *Le Temps cyclique dans le mazdéisme et dans l'ismaélisme* („Eranos-Jahrbuch", XX, 1952, p. 149—218).

CULMANN, O., *Christus und die Zeit* (Basel, 1946).

ELIADE, M., *Le Mythe de l'Éternel Retour*, cap. II—III ; id., *Le temps et l'éternité dans la pensée indienne* („Eranos-Jahrbuch", XX, 1951, p. 219-252 ; *Images et Symboles*, Paris, 1952, p. 73—119).

MAUSS, M. și H. HUBERT, *La representation du temps dans la religion et la magie* (*Mélanges d'histoire des religions*, 1909, p. 190—229).

MUS, P., *La notion de temps réversible dans la mythologie bouddhique* („Annuaire de l'École pratique des Hautes Études", Section des Sciences religieuses, Melun, 1939).

NILSSON, M. P., *Primitive Time Reckoning* (Lund, 1920).

PUECH, H. Ch., *La gnose et le temps* („Eranos-Jahrbuch", XX, 1952, p. 57—114).

WENSINCK, A. J., *The Semitic New Year and the Origin of Eschatology* („Acta Orientalia", I, 1923, p. 158—199).

Despre mituri :

BAUMANN, H., *Schöpfung und Urzeit des Menschen im Mythus der afrikanischen Völker* (Berlin, 1936).

CAILLOIS, R., *Le Mythe et l'Homme* (Paris, 1938).

GUSDORF, G., *Mythe et Métaphysique* (Paris, 1953).

JENSEN, Ad. E., *Das religiöse Weltbild einer frühen Kultur* (Stuttgart, 1948) ; id., *Mythos und Kult bei Naturvölkern* (Wiesbaden, 1951).

KLUCKHOHN, C., *Myths and Rituals, a General Theory* („Harvard Theological Review", 35, 1942, p. 45—79).

LÉVY-BRUHL, L., *La Mythologie primitive. Le monde mythique des Australiens et des Papous* (Paris, 1936).

MALINOWSKI, Br., *Myth in Primitive Psychology* (Londra, 1926).

PREUSS, K. Th., *Die religiöse Gestalt der Mythen* (Tübingen, 1933).

## Capitolul III

ALTHEIM, F., *Terra Mater* (Giessen, 1931).

DIETERICH, A., *Mutter Erde* (ed. a. III-a, Leipzig-Berlin, 1925).

ELIADE, M., *Traité d'Histoire des religions* (Paris, 1949), cap. VIII ; id., *Mythes, rêves et mystères* (1957).

FRAZER, SIR JAMES, *The Golden Bough*, I—XII (ed. a III-a, Londra, 1911—1918) ; id., *The Worship of Nature*, I (Londra, 1926).

HENTZE, C., *Mythes et symboles lunaires* (Anvers, 1932).

NYBERG, B., *Kind und Erde* (Helsinki, 1931).

PETTAZZONI, R., *L'onniscienza di Dio* (Torino, 1955).

WENSINCK, A. J., *Tree and Bird as Cosmological Symbols in Western Asia* (Amsterdam, 1921).

Capitolul IV

DUMÉZIL, G., *Jupiter, Mars, Quirinus* (Paris, 1941) ;
id., *Horace et les Curiaces* (1942) ; id., *Les Dieux
Indo-Européens* (1952).

ELIADE, M., *Naissances mystiques* (Paris, 1957).

HENTZE, C., *Tod, Auferstehung, Weltordnung. Das
mytische Bild im ältesten China* (Zürich, 1955).

HÖFLER, O., *Geheimbünde der Germanen*, I (Frank-
furt am Main, 1934).

JENSEN, AD. E., *Beschneidung und Reifezeremonien
bei Naturvölkern* (Stuttgart, 1932).

PEUCKERT, W. E., *Geheimkulte* (Heidelberg, 1951).

SCHURTZ, H., *Altersklassen und Männerbünde*
(Berlin, 1902).

WEBSTER, H., *Primitive Secret Society* (New York,
1908).

WIDENGREN, G., *Hochgottglaube im alten Iran* (Up-
psala, 1938).

WILKANDER, S., *Der arische Männerbund* (Lund,
1938) ; id., *Vayu*, I (Uppsala-Leipzig, 1941).

WOLFRAM, R., *Schwerttanz und Männerbund*, I—
III (Kassel, 1936 sq.) id., *Weiberbünde* („Zeits-
chrift für Volkskunde", XVII, 1932, p. 143 sq.).

# CUPRINS